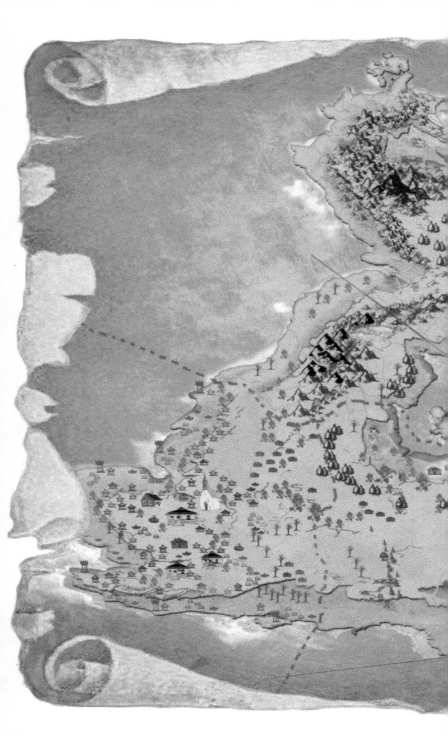

Impressum

Bibliografische Information der Deutschen
Nationalbibliothek: Die Deutsche
Nationalbibliothek verzeichnet diese
Publikation in der Deutschen
Nationalbibliografie; detaillierte
bibliografische Daten sind im Internet über
dnb.dnb.de abrufbar.

© 2021 Beatrice Gabriela Michel
Herstellung und Verlag: BoD – Books on
Demand, Norderstedt
ISBN: 978-3-7534-6520-3

Anthopia

Die geheime Welt

II

Das Geheimnis der verschlossenen Tür

Abenteuer-Fantasyroman
von
B. G. M.

Anthopia

Die geheime Welt II

Das Geheimnis der verschlossenen Tür

Nina, Jasmin, Theo, Oli und José …

Nachdem sie wieder in ihre reale Welt zurückgekehrt waren, genossen die fünf ihre langen Sommerferien in vollen Zügen! In der letzten Ferienwoche, als alle zusammen am Fluss beim Felsen badeten, wurden sie in Gedanken von Anthopia gerufen.

Zuerst hielten sie nicht viel davon, nun nochmals hinzugehen. Doch die Unsicherheit, was dort geschehen sein mochte, liess sie nicht in Ruhe, sodass sie nochmals in die geheime Welt Anthopias eintauchten. Dabei wurden sie erneut in immer atemberaubendere Geschehnisse verwickelt! Werden die Freunde auch diese Gefahren und Abenteuer zusammen bestehen?

Geniessen, relaxen, feiern und ...

Nina, Jasmin, Theo, Oli und José verbrachten nach der Rückkehr von Anthopia gemeinsam viele tolle Tage und Wochen in ihren Sommerferien. Seit sie zusammen die geheime Welt von Anthopia hatten kennenlernen dürfen, wuchs in ihnen immer mehr das Gefühl, einfach alles erreichen zu können, wenn sie es nur wirklich wollten. Sie genossen die viele freie Zeit, in der Chillen, Baden, Bräteln, Ausreiten und vieles mehr im Vordergrund standen.

Jeden Morgen half Nina ihrer Tante Julia im Haushalt und im Pferdestall. Doch die Nachmittage waren frei und diese verbrachte sie zusammen mit ihren Freunden. So verging die Zeit wie im Fluge.

Am Montagnachmittag der letzten Ferienwoche, als sie wieder einmal an ihrem mystischen Platz beim Bräteln und Baden waren, bekamen sie auf einmal ein ganz merkwürdiges Gefühl, so als würde sie jemand rufen.

Theo, der gerade aus dem Wasser kam, meinte etwas verwirrt: »Hattet ihr jetzt auch so ein Gefühl, als würde jemand aus Anthopia rufen?« Die anderen nickten und schauten sich fragend sowie etwas ungläubig wegen ihrer Empfindungen gegenseitig an.

Eine kurze Weile sprach niemand, bis José das Wort ergriff: »Wir wissen ja nun, dass hier die Zeit stehen bleibt, wenn wir in Anthopia sind. Ich finde, wir müssen dem Ruf Folge leisten, da wir ansonsten nicht unseren Alltag nach den Ferien aufnehmen können. Vielleicht brauchen sie unsere Hilfe? Oder wie seht ihr das? Da wir ja nur gemeinsam in die geheime Welt gelangen können, müssen wir einer Meinung sein.«

»Ja«, antwortete daraufhin Nina, »ich muss ja schon in vier Tagen wieder zurück in die Stadt und habe wohl kaum Zeit, hierher zurückzukommen, ohne, dass ich Ferien hätte. Wenn doch, würde meine Mam bestimmt eine Erklärung von mir erwarten, weshalb ich nun unbedingt hierher müsste. Und da wir ja Stillschweigen schworen, müsste ich als Ausrede lügen, und das möchte ich nicht.«

»Dann werden wir jetzt diesen Rufen Folge leisten und zurückgehen?« Fragend sah Oli die anderen an.

Diese nickten entschlossen. Also räumten sie ihre Sachen zusammen und liessen dieses Mal Uhren und Telefone hier. Danach sprangen alle zusammen ins Wasser. Mehrere Male zuvor hatten sie immer wieder versucht, ohne die Hände an den Felsen zu halten, wieder nach Anthopia zu gelangen. Doch jedes Mal waren sie nur im Inneren des röhrenförmigen Flusslaufs in den Felsen gelangt. Da sie in Anthopia gesagt hatten, dass sie erst in einem Jahr wiederkommen könnten, trauten sie sich nicht, den Zauber von Mervin für ihre Neugier zu missbrauchen. Doch nun, da Anthopia gerufen hatte, konnten sie ohne schlechtes Gewissen den Zauber anwenden. Also legten sie vor dem Felseneingang ihre rechten Hände, so wie es ihnen Mervin erklärt hatte, an den Felsen. Dann sprachen sie ihr eigenes, von ihm erhaltenes Zauberwort und tauchten daraufhin unter. So kamen sie tatsächlich am Ufer von Anthopia wieder hoch.

Wieder aufgetaucht waren sie am Ufer des wunderschönen Strandes von Anthopia. Sie konnten es kaum glauben.

»Hurra, es hat tatsächlich geklappt! Machen wir uns auf den Weg, damit wir so schnell wie möglich zur Villa gelangen, um zu erfahren, was uns hierher geholt hat!« rief erfreut Jasmin.

Als sie aufstanden und in diese Richtung gehen wollten, kamen ihre Pferde, der schwarze Hengst und die weissen Stuten, auf sie zu. Kurz darauf tauchten hintereinander die Herrscher auf. Vorneweg Wurdri, gefolgt von Nordri, Serdri und Ordri. Die Wiedersehensfreude auf beiden Seiten war überwältigend. Freudentränen liefen. Sie wurden umarmt. Dann endlich, als sich alle wieder etwas beruhigt hatten, sagte Serdri: »Meine lieben Freunde, wir haben euch sehr vermisst. Jahre sind ins Land gegangen und wir hatten schon die Befürchtung, dass ihr uns vergessen habt. Aber nun seid ihr endlich gekommen. Die Freude unsererseits ist riesengross. Danke, dass ihr unserem Ruf so schnell gefolgt seid. Nun

10

kommt aber, wir reiten zur Villa, wo die anderen auf euch warten und viel zu erzählen haben.«

Ohne noch Fragen zu stellen, stiegen die fünf auf die Pferde und ritten hinter den Herrschern dem traumhaften Strand entlang und durch den wunderschönen Wald dem stattlichen Gebäude entgegen. Als sie die Villa sahen, war es wie beim ersten Mal: atemberaubend! Doch dieses Mal hatten sie keine Zeit, alles wirklich in sich aufzunehmen, da die Lehrer Lagist, Mofi, Nalto, Zajo und Lajoni, die Diener Bahr und Artschip, der Zauberer Mervin und der Fahrer des Pferdewagens, Beno, auf sie zugelaufen kamen. Die Freunde schafften es gerade noch, von den Rücken der Pferde zu gleiten, als sie auch schon stürmisch umarmt, gedrückt und herzlich geküsst wurden … Als die erste Euphorie vorüber war, schritten sie alle gemeinsam in den Garten zum grossen Baum. Auf dem Tisch darunter standen leckere Sachen zum Essen. Doch wegen der großen Wiedersehensfreude hatte niemand wirklich Appetit! Jeder wollte erzählen und ein wildes Durcheinander begann. Doch dies wurde von Nordri schnell unterbrochen, indem er laut rief:

11

»Bitte, bitte seid ruhig, man versteht ja nichts. Es muss einer nach dem anderen sprechen und nicht alle auf einmal!«

Daraufhin wurde es einen kurzen Moment ruhig, bis der Zauberer Mervin die Stimme erhob: »Herzlich willkommen unsere lieben Freunde. Wir sind überglücklich, euch gesund und munter wiederzusehen. Als wir uns vor über zwei Jahren …« Dabei sahen sich die Freunde etwas erstaunt an, hörten aber weiter aufmerksam zu, was Mervin ihnen zu sagen hatte. »… am Ufer voneinander verabschiedeten, waren wir so froh, dass alles gut ausgegangen war. Nun, in der Zwischenzeit gab es keinen einzigen Tag, an dem wir nicht an euch dachten und inständig hofften, dass ihr bald zu Besuch kommen würdet. Deshalb können wir es fast nicht glauben, dass ihr wirklich und wahrhaftig hier seid. Ihr habt euch überhaupt nicht verändert. Werdet ihr in eurer Welt der Erde nicht älter?«

Nach der ersten Überraschung, dass hier schon über zwei Jahre vergangen sein sollten, mussten die fünf herzhaft lachen, und als sie sahen, dass sie verständnislos gemustert wurden, wurden sie ernst und José antwortete im Namen aller: »Ich glaube, es ist wichtig, euch einiges zu erklären. Als wir ja wochenlang bei euch gewesen sind und daraufhin in unsere Welt zurückkehrten, war ja unsere grösste Sorge und Befürchtung, unseren Familien erklären zu müssen, wo wir so lange Zeit gewesen waren. Auch hatten wir ja hier bei euch den Eid geschworen, niemandem etwas über Anthopia zu erzählen. Also gingen wir mit gemischten Gefühlen auf unsere Seite des Felsens zurück. Als wir zu euch gekommen waren, hatten wir zuvor gerade ein Feuer gemacht und hatten in der Zeit, bis es genügend Glut gab, in der Röhre nachsehen wollen, wie es darin aussieht. Jetzt kamen wir also wieder dahin zurück und fanden den Grillplatz genauso vor, wie wir ihn verlassen hatten. Unser Erstaunen war natürlich sehr gross und als wir auf unseren Uhren und Telefonen nachsahen, waren wir darüber so glücklich, dass wir niemanden belügen mussten und so der Schwur ohne Probleme von uns eingehalten werden konnte. – In eurer Zeit, das heisst in den zwei Jahren, die ihr nun auf uns gewartet habt, sind in unserer Welt erst knappe vier Wochen vergangen.«

Die Bewohner Anthopias sahen sich ganz entsetzt, dann überrascht an, und als ihnen bewusst wurde, was das bedeutete, rief Serdri: »Das heisst ja, dass ihr so lange ihr wollt bei uns bleiben könnt, da bei euch die Zeit stehenbleibt. Das ist die beste Nachricht, die ihr uns überbringen konntet.« Dabei wischte er sich verstohlen die Tränen aus den Augen.

Als auch die anderen verstanden, was das bedeutete, wurde gelacht, einander umarmt und eine ausgelassene, fröhliche Runde entstand. Dabei wurde geredet, gegessen, getrunken und einander erzählt, was sich in der Zwischenzeit so alles zugetragen hatte.

So verging die Zeit wie im Flug, da für alle das Wiedersehen so überwältigend war. Über die Erkenntnis, dass die jungen Leute so lange wie sie wollten bleiben konnten, wurde vergessen, was der eigentliche Grund ihres Kommens war. Oli, der sich auf einmal wieder daran erinnerte, unterbrach das gesellige Plaudern: »Als wir in unserer Welt waren, bekamen wir plötzlich das Gefühl, als würde uns jemand von hier rufen. Wir sind, wie ihr seht, Diesem sogleich gefolgt! Aber warum habt ihr uns kommen lassen? Ist etwas passiert?« Voller Sorge beendete er seine Worte mit dieser Frage.

Daraufhin wurde es ganz still. Niemand sprach mehr ein Wort. Alle sahen verstohlen auf den Boden, bis Mervin sich an die fünf wandte: »Ja, ich habe euch mit einem Zauber gerufen, da wir nicht mehr weiterwissen. Da wir jetzt aber von den Feierlichkeiten sehr müde sind und es auch schon spät ist«, bei diesen Worten bemerkten alle, dass es stockfinster geworden war, »würde ich vorschlagen, dass wir schlafen gehen und morgen zum Frühstück wieder zusammenkommen, um euch dann alles ausführlich zu berichten. Vielleicht finden wir ja dann miteinander eine Lösung! Ist dies auch in eurem Sinne?« Fragend schaute er in die Runde.

Vom letzten Besuch her wussten sie, dass es keinen Sinn hatte, zu widersprechen, und nickten deshalb nur. Bei der Verabschiedung meinte Wurdri: »Eure Betten sind frisch bezogen und die Kleider liegen bereit. Ihr wisst ja, wo ihr zu Hause seid. Wir wünschen euch eine erholsame Nacht. Bis morgen.« Dann gingen sie ihres Weges.

Die Freunde blieben sitzen, bis Jasmin etwas ängstlich fragte: »Was wohl nicht in Ordnung ist? Hoffentlich müssen wir nicht wieder jemanden befreien?«

Dabei schauten sie sich an, bis Theo meinte: »Wir werden es ja morgen erfahren. Die Sonne ist auf jeden Fall untergegangen und der Mond steht am Himmel. Gefehlt hat auch niemand und alle waren fröhlich. Ich schlage deshalb vor, uns nach oben in unsere Betten zu begeben, damit wir für morgen fit und munter sind.«

Da alle seiner Meinung waren, stiegen sie die Wendeltreppe hoch. Ihre Nachtgewänder lagen auf den Betten bereit. Sie wünschten einander eine gute Nacht und verschwanden in ihre Zimmer.

Das Unfassbare

In der Nacht schliefen sie fantastisch. Beim Frühstück meinte Theo mit vollem Mund: »Hier schlafe ich so tief und traumlos. Dabei habe ich immer das Gefühl, ausgeruhter als zu Hause zu sein. Ist das bei euch auch so?«
Doch bevor jemand darauf antworten konnte, rauschten schon die Herrscher, wie immer in ihren flatternden, weissen Leinenkleidern gehüllt, herein. Ihre langen silbernen Haare und die Siegelringe an ihren Ringfingern der linken Hände hatten etwas Majestätisches. Ihnen folgten die Lehrer, die in ihren weissen Kimonos mit den schwarzen Gürteln, dem breiten weissen Stirnband, ihren kahlgeschnittenen Köpfen und zudem barfuss aussahen wie Asiaten, nur einiges grösser. Und zu guter Letzt Beno, der Pferdekutschenfahrer, gross und muskulös schritt er hinter ihnen her.
Als alle am Tisch Platz nehmen wollten, ertönte vom Eingang her eine Stimme: »Guten Morgen meine Lieben!« Die dunkle, beruhigende Stimme, die von der Türe her kam, gehörte

natürlich Mervin, dem Zauberer. Er kam mit seinem weissen langen Bart, dem grossen Hut und dem Zwicker auf seiner Nase schnell auf sie zu und nuschelte: »Entschuldigt die kleine Verspätung, ich musste noch einem Bewohner unseres Landes bei einer wichtigen Angelegenheit behilflich sein. Nun sind wir ja alle da und können gemütlich frühstücken.« Dabei setzte er sich, ohne zu bemerken, dass die anderen seinetwegen noch standen, an den gut gedeckten Tisch und langte herzhaft zu. Die anderen schmunzelten, setzten sich dann auch und frühstückten gemütlich miteinander.

Als sie gesättigt waren, fragte Ordri: »Seid ihr einverstanden, wenn wir unser Gespräch im Nebenraum des Wohnzimmers führen, damit wir die Türe schliessen können und somit ungestört sind?«

Alle standen auf und José antwortete: »Ja klar, wir sind sehr gespannt auf das, was ihr uns zu berichten habt!«

Also begaben sich alle in das Nebenzimmer an den langen Tisch. Die Diener räumten unterdessen alles auf, brachten ihnen kalte Getränke und als sie die Türe hinter sich schlossen, fing Mervin zu erzählen an: »Als ihr uns vor etwas mehr als zwei Jahren der Zeit in unserer Welt wieder verlassen hattet, hat sich die Natur langsam wieder erholt. Auch Simon alias Santanius, der unseren geschätzten Wurdri gefangen gehalten hatte, hat sich als ein sehr arbeitsamer und höflicher, stets hilfsbereiter Mann entpuppt. Übrigens hat er in der Zwischenzeit geheiratet und lebt mit Frau und einem Baby nicht weit von hier, auf seinem eigenen Land, das er selber bewirtschaftet. Also hat sich alles gut entwickelt und wir waren froh, dass wir mit euch zusammen die richtige Entscheidung getroffen hatten, ihm eine zweite Chance zu geben.«

Eine kurze Pause entstand, bevor Mervin weitersprach: »Wir hatten also alles wieder im Griff, bis vor ungefähr zwei Monaten eine Situation entstand, die uns vermuten lässt, dass damals nicht nur Santanius mit seinen bösen Mächten zu uns dringen konnte, sondern noch eine weitere böse Macht.« Dabei blickte er in fünf erschrockene Gesichter. »Ja, liebe Freunde, wir waren gerade zu einem Fest in Vella, einem Dorf Richtung Osten, also nicht weit von hier, eingeladen. Alles hatte sehr schön begonnen, als plötzlich riesige Flammen die Feier vorzeitig beendeten. Das Feuer kam von einem Berg nahe von Vella. Zuerst dachten wir an einen Drachen, doch diese Flammen waren ganz anderer Art und auch wurde kein solches Ungeheuer gesehen. Ausserdem wisst ihr ja, dass unsere Drachen eher friedliebender Natur sind, als dass sie uns angreifen würden. Nur wenn sie unter dem Bann eines Zaubers stehen, mutieren sie zu Bosheit. – Als die schlimmste Aufregung vorüber war, setzten wir uns mit den Dorfältesten zusammen und beratschlagten, was dies wohl zu bedeuten hatte. Dabei erzählten sie uns, dass vor Kurzem Kinder des Dorfes berichtet hatten, dass sie weiter oben im Wald jemanden beobachtet hätten, den sie noch nie zuvor gesehen hatten. Als daraufhin einige Dorfbewohner den Wald durchstreiften, fanden sie jedoch niemanden, sodass sie es als Fantasie der Kinder abtaten. Nun aber bekamen sie in immer kürzeren Abständen das Gefühl, dass etwas Unheimliches im Wald vor sich ginge. Sie hatten sowieso nach den Festlichkeiten mit uns, den Herrschern und mir, darüber sprechen wollen.«

»Ist denn sonst noch etwas vorgekommen, ausser den Flammen beim Fest?«, fragte nun José.

»Ja, die Dorfältesten erzählten uns, sie hätten auch bemerkt«, fuhr nun Mervin seine Erzählung fort, »dass des Öfteren Eisen aus der Schmiede fehle, viel Bauholz entwendet worden sei, auch Pferde seien verschwunden und zuletzt nun Rohre, die sie gerade frisch geschmiedet hatten, um die Kamine auf den Dächern zu verbessern. Dabei wurden wir natürlich erst recht hellhörig und fragten nach, ob denn sonst noch etwas sei. Ja, ein hilfsbereiter Mann vom Nachbardorf sei verschwunden und die Frau sei ausser sich vor Sorge, da bei ihnen alles gut gewesen sei und es keinen Grund für ein freiwilliges Verschwinden ihres Mannes, der übrigens Kimo heisst, gäbe. Sie würde befürchten, dass dies eine Entführung sei, da er nichts mitgenommen habe und die Pferde am Abend ohne ihn vom Feld zurückgekehrt seien.«

Nun war es mucksmäuschenstill im Zimmer geworden. Alle schauten die Freunde an, als würden sie hoffen, die Antwort von ihnen zu erhalten.

Oli ergriff als Erster das Wort: »Habt ihr uns nun gerufen, um dies herauszufinden, oder habt ihr bereits einen Plan?«

»Wir versuchten sofort die Verfolgung aufzunehmen, doch ohne Erfolg. Dann sahen wir, wie es bei uns üblich ist, in unserem Ahnenbuch der Legende nach. Dabei fanden wir heraus, dass tatsächlich wieder ein neues Kapitel geschrieben worden war, das uns angab, dass auch dieses Problem wiederum nur von euch gelüftet und gelöst werden könne.«

Mervin, die Herrscher und die Lehrer schauten die fünf an. Der große Magier fragte: »Werdet ihr uns auch dieses Mal helfen?«

Nina, Jasmin, Theo, Oli und José blickten sich an und wollten schon zustimmen. José, der ganz sicher gehen wollte, beugte sich zu ihnen und fragte leise, fast flüsternd: »Sind wir dabei?« Die anderen nickten bestimmt, sodass José sich dem Fragenden zuwandte und mit fester Stimme erwiderte: »Ja, wir sind dabei und wenn wir helfen können, dann werden wir alles in unserer Macht Stehende tun, um auch das zu einem guten Ende zu bringen!«

Alle standen auf und umarmten sie. Als alle wieder sassen, begann Serdri zu sprechen: »Wir hatten gehofft, dass ihr uns helft. Nun, da ihr bereit dazu seid, sind wir alle sehr erleichtert. Da es auch dieses Mal in unserem Ahnenbuch so steht, hätten wir alleine wohl keine Chancen. Das Problem ist, dass wir keine Ahnung haben, mit wem oder was wir es zu tun haben. Ist es ein anderer Zauberer oder ist jemand unbemerkt Simon gefolgt? Oder gibt es eine andere Erklärung? Wir wissen es einfach nicht! Ich glaube, dass es das Beste sein wird, die Kinder von Vella nochmals zu befragen, um vielleicht so einen ersten Anhaltspunkt zu finden! Oder was denkt ihr?«

Oli antwortete: »Das wäre auch gerade mein Vorschlag. Auch müssten wir vielleicht den Wald durchkämmen, damit wir uns vor Ort ein Bild machen können. Denn so, wie ich es bis jetzt sehe, wissen wir gar nicht, was dieser Jemand will! Also können wir ja auch nichts dagegen tun.«

»Genau, und wieso dieser Jemand oder was es ist die Sachen stiehlt und jetzt auch noch, so wie es aussieht, einen Bewohner entführt hat, das ist doch höchst merkwürdig!«, meinte Theo und sah dabei auf seine gefalteten Hände.

Serdri sprach ruhig: »Alle diese Fragen sollten zunächst beantwortet werden, das ist eine gute Vorgehensweise. Deshalb haben wir für euch auch schon alles vorbereitet. Die Schwerter sind in euren Zimmern in den Schränken verstaut. Das Zauberwort, das ihr beim letzten Mal von Mervin bekommen habt, wird jedes Mal, wenn Ihr hierher zurückkehrt, durch das Aussprechen wieder aktiviert und damit seid ihr automatisch geschützt. Auch die Reitvögel wurden für euch gesattelt und warten bei den Felsen!«

So wurde abgemacht, dass die Freunde zunächst mit den Herrschern zusammen zu dem Dorf fliegen wollten, um dort direkt vor Ort die Kinder zu befragen.

Theo stand auf und sprach: »Dann lasst uns keine Zeit verlieren und gehen, damit wir zum Dorf kommen!«

Die fünf spurteten nach oben in ihre Zimmer, holten ihre Schwerter und füllten ihre Rucksäcke mit Wechselkleidern. Als sie fertig waren, hasteten sie wieder nach unten, wo die Herrscher bereits auf sie warteten.

»Viel Glück und seid vorsichtig!«, mahnte Mervin.

Damit verabschiedeten sie sich voneinander. Kurz darauf eilten die Freunde nach draussen, wo sie sich auf die wartenden Pferde setzten. Winkend galoppierte der Trupp davon.

Während des Reitens fiel es den Freunden auf, wie grün es hier geworden war. Ganz anders als beim ersten Mal, wo die Sonne immer am Himmel stand und von der Hitze alles braun geworden war. José rief den anderen zu: »Es ist eine wunderschöne Gegend mit dem satten Grün überall!«

Die anderen nickten und ritten weiter. Als sie an den Felsen angekommen waren, sahen sie schon von Weitem ihre Vögel auf den Felsvorsprüngen sitzen. Die Pferde konnten am Bach Wasser trinken und würden dann alleine wieder nach Hause finden.

So schnell es ihnen möglich war, stiegen sie den steilen Weg empor. Als sie oben angelangt waren, flogen die riesigen Vögel mit ihren schön bunten, in der Sonne glänzenden Federn und den spitzen Schnäbeln herbei. Trotz ihrer Grösse landeten sie sanft wie eine Feder, beugten dann ihre Köpfe zu ihnen herunter und als sie sich durch das Handauflegen wieder gedanklich verbanden, war die Freude auf beiden Seiten gross. Nun setzten sie sich in die Sattel ihrer Vögel, die Beno für sie wieder aufgeschnallt hatte, und nahmen die Zügel in die Hände. Unterdessen waren auch die Herrscher auf ihren Tieren.

Fragend sah Nordri umher: »Wenn alle bereit sind, würden wir vorausfliegen und ihr folgt uns?«

Im gleichen Moment wurden die Daumen nach oben gestreckt zum Zeichen, dass alle einverstanden und bereit waren. So flog ein Vogel nach dem anderen von dem Felsvorsprung in die Lüfte. Beim Dahingleiten war es ihnen, als wären sie erst jetzt so richtig in Anthopia angekommen. Denn mit den Tieren verband sie so viel …

Der Flug verlief ruhig. Es dauerte nicht lange, bis sie unter sich ein Dorf erblickten. Langsam landeten sie auf einem nahegelegenen Feld und lösten sich gedanklich mit dem Handauflegen wieder von den Tieren. Sogleich hoben sich diese mit denen der Herrscher in die Lüfte, um auf einem nahegelegenen Felsen sicher zu landen und auf sie zu warten.

Vella

Zu Fuss ging es Richtung Dorf. Dort angekommen, waren die Bewohner schon alle versammelt und warteten gespannt auf sie. Einer der Männer verbeugte sich vor den Herrschern und deren Begleitern und sprach: »Wir haben euch auf euren Reitvögel kommen sehen und heissen euch herzlich willkommen!« Serdri verbeugte sich und begrüsste alle: »Liebe Vellaner, wir sind mit unseren Freunden von der Erde zu euch gekommen, um herauszufinden, was genau passiert ist. Hat sich in der Zwischenzeit etwas Neues getan?«
»Nein, mein Herr, es ist seitdem nichts geschehen. – Darf ich mich euren Begleitern von der Erde vorstellen?« Die Herrscher nickten und der Dorfälteste fuhr fort: »Ich heisse Kuno und bin Bürgermeister dieser Gemeinde. Im Namen aller Bürger und Bürgerinnen von Vella heisse ich euch ganz herzlich hier willkommen. Wir haben von euren heldenhaften Taten bei der Befreiung unseres hochgeschätzten Wurdri gehört und

sind sehr erfreut, euch nun kennenlernen zu dürfen – leider wegen einer weiteren sehr unerfreulichen Angelegenheit. Wir wollten dies selber in die Hand nehmen, doch da es im Buch der Ahnen so geschrieben steht, müssen wir euch bitten, uns zu helfen. Seid ihr bereits über die bisherigen Begebenheiten informiert worden?«, fragend sah er José an.

Dieser schaute fragend zu Wurdri. Als der nickte, antwortete er nach einem kurzen Räuspern: »Ja, mein geschätzter Kuno, wir wurden darüber informiert und sind nun gekommen, um die Kinder, die eine Gestalt im Wald gesehen haben, nochmals kurz dazu zu befragen. Doch vorher möchte ich mich und meine Freunde kurz den hier Anwesenden vorstellen. Das sind Jasmin, Nina, Oli, Theo und ich bin José.« Dabei zeigte er auf die- oder denjenigen. »Wir kommen von der Erde und möchten euch sehr gerne bei allem unterstützen. Doch haben wir zum jetzigen Zeitpunkt gar keine Idee, was das, was jüngst hier in Vella geschehen ist, zu bedeuten hat. Deshalb müssen wir erstmal alle Details kennen und brauchen dazu eure Hilfe.« Dabei sah er die Dorfbewohner der Reihe nach an.

Diese waren alle sehr gross, über zwei Meter, und dazu sehr schlank. Die Männer waren sehr muskulös und man sah gleich, dass diese Anthopier noch harte Arbeit kannten und verrichteten. Da es hier keine Autos, Flugzeuge, Industrien und Ähnliches gab, sondern alles noch von und mit der Natur hergestellt wurde, mussten die Leute hier sehr hart arbeiten. Doch wirkten alle gleichermassen zufrieden. Sie waren Selbstversorger. Das heisst, dass jeder für sein Wohl verantwortlich war und, soweit es in seiner Macht stand, jedem half. Wenn einer etwas benötigte, egal welcher Art, bekam er Unterstützung. Tauschgeschäfte waren hierzulande alltäglich. So besass jeder gleich viel und es war in seiner eigenen Verantwortung, das ihm Aufgetragene mit seinem besten Wissen und Können zu erledigen. Dass die Anthopier hier genauso duschen und die Toilettenspülung bedienen konnten wie die Menschen auf der Erde, hatte alles mit der natürlichen Windkraft, den Wasserrädern, der Sonne und vielen anderen alternativen Energien zu tun. Also wurden keine Atomkraftwerke oder desgleichen benötigt. Das, was Land, Luft, Wasser und

Sonne boten, wurde von den Dorfbewohnern, die die körperliche Arbeit nicht scheuten und die mit dem zufrieden waren, was sie hatten, klug und umsichtig genutzt, sodass der Natur keinen Schaden entstand.

Die Männer trugen kurze Hosen und ein T-Shirt. Die meisten von ihnen waren barfuss oder trugen einfache Zehenschuhe. Die Hosen wurden durch Hosenträger gehalten, da sie zu weit waren, das war wohl wegen der körperlichen Arbeit auch praktischer. Die Frauen trugen bunte Tücher, die sie geschickt um den Kopf banden, um sich vor der Sonne zu schützen, und einen ärmellosen, bunten, gerade geschnittenen Rock, der bis zum Boden ging. Sie waren ebenfalls barfuss. Die nackten Arme waren durch Tätowierungen geschmückt, die bei jeder Einzelnen, wenn man genau hinsah, eine Erzählung des eigenen Lebens widerspiegelte. Auch hatten sie ohne Ausnahme lange Haare, die zu bis auf die Hüfte reichenden Zöpfen geflochten waren. Die Kinder trugen weite, einfache Kleidung und waren auch barfuss. Sie sahen alle zufrieden aus.

Abermals sprach Kuno: »Liebe Vellaner, ich bitte euch, die Kinder zu uns zu bringen, die im Wald die Gestalt sahen.«

Kurz darauf standen sechs Kinder vor ihnen, die sich scheu an den Händen hielten. José sah jedes Einzelne der Reihe nach an und fragte: »Ihr seid also die Kinder, die im Wald etwas gesehen haben, was nicht ganz normal war? Könnt ihr uns der Reihe nach berichten, was genau ihr beobachtet habt?«

Der grösste Bub war geschätzte zwölf Jahre alt, trug kurze braune Latzhosen und ein etwas helleres ebenfalls braunes T-Shirt. Seine braunen, kurzen Haare hingen ihm in Locken ins Gesicht. Er machte einen kleinen Schritt nach vorne und fing dann leise zu erzählen an: »Hallo, ich heisse Senio. Aber alle nennen mich Seni. Ich bin elf Jahre alt und wohne mit meinen Eltern und meinen beiden älteren Schwestern neben dem Wald in einem kleinen Haus. Mein Papa ist Bürger von Vella. Jeder Bürger darf im Wald Feuerholz holen, das andere bereits dafür zugeschnitten haben. Deshalb haben mich meine Eltern am besagten Tage in Begleitung meiner Freunde«, dabei zeigte er auf die anderen und fuhr fort, »zum

Holz holen geschickt. Wir nehmen dafür immer einen grossen Handwagen mit, sodass wir recht viel transportieren können.« Stolz schaute er um sich. »Also sind wir alle in den Wald, luden dort das Holz in den Wagen und wollten gleich zurück, als wir weiter hinten eine grosse, dunkel gekleidete, alt wirkende Gestalt sahen, die durchs Dickicht huschte und die ganze Zeit mit einem Stab, aus dem blaue Blitze kamen, herumfuchtelte und so komische Worte von sich gab. Natürlich duckten wir uns, damit er uns nicht sehen konnte, und verhielten uns ganz ruhig. Als plötzlich ein Reh daherkam und dieser Alte mit seinem Stab dafür sorgte, dass das Reh ihm folgte, bekamen wir noch mehr Angst. Sie müssen wissen«, dabei sah er José ernsthaft an, »dass Rehe ganz scheu sind und niemals freiwillig einem Menschen näherkommen würden! Als dann die beiden verschwunden waren und wir sicher sein konnten, dass sie uns nicht mehr sehen oder hören konnten, liefen wir mit dem Wagen so schnell wie es uns möglich war nach Hause. Dort erzählten wir es unseren Eltern. Daraufhin wurde der ganze Wald abgesucht, aber nichts gefunden. Wohl deshalb wurde gesagt, dass wir eine grosse Fantasie besitzen. Aber, mein Herr, wir haben dies wirklich beobachtet und alles war sehr mysteriös und beängstigend.«

»Wir glauben dir, lieber Seni.« Beruhigend sah José den Jungen an und fragte weiter: »Habt Ihr denn das Gesicht des Unbekannten erkennen können? Wenn ihr das beschreiben könntet, würde uns das vielleicht weiterhelfen.«

Die Kinder schüttelten den Kopf und Seni antwortete: »Nein, leider nicht. Wir mussten uns ja verstecken, da wir ja nicht gesehen werden durften. Aber sein Gang war ganz langsam und schwerfällig. Er ging auch gebückt. Weisse Haare schauten unter der Kapuze eines dunkelbraunen Umhangs hervor und er sprach so komisch, als wäre seine Zunge eingefroren.«

José schaute umher und meinte dann zu seinen Freunden: »Kann es sein, dass der vielleicht betrunken war?« Bei der Vorstellung schüttelte er den Kopf. »Spekulationen helfen uns aber auch nicht weiter. Wir müssen in den Wald und ihr«, dabei zeigte er auf die Kinder, »solltet, wenn ihr noch wisst, wo das gewesen ist, uns die Stelle, an der ihr diesen Unbekannten gesehen habt, zeigen.«

Die Angesprochenen nickten und so machten sie sich zusammen auf den Weg. Der Wald war schnell erreicht. Die Kinder führten sie immer weiter hinein bis zu einer Stelle, wo die Bäume sehr dicht beieinander standen. Auf einmal blieb Seni stehen und flüsterte: »Hier war es. Da standen wir und da vorne bei den dichten und vielen Büschen war er.«

José und Oli gingen weiter zu der Stelle, wo die Gestalt gewesen war. Die anderen blieben zurück. Sie durchsuchten alles, fanden aber nichts. Zurück bei den anderen fragte José den Jungen: »Ist der Wald gross?«

»Ja, riesig, und Felsen und Höhlen gibt es hier auch ganz viele.« Dabei wurde ihnen klar, dass es nichts brachte, hier weiter zu suchen.

Theo hatte eine Idee: »Wie wäre es, wenn wir Simon aufsuchen würden, um vielleicht von ihm etwas erfahren zu können. Wie er ja erzählte, hatte er den Kristall von einem alten Mann bekommen, der auf einmal nicht mehr da war. Vielleicht kann er ihn beschreiben und dieses deckt sich mit den Aussagen der Kinder? Ansonsten müssten wir eine neue Idee verfolgen.«

Über diesen Vorschlag waren alle so begeistert, dass sie schnell zum Dorf zurückliefen. Sie bedankten sich bei den Kindern. Einer der Bewohner brachte ihnen Pferde. Da es nicht sehr weit war, ritten die Freunde und die Herrscher noch am gleichen Tag los. Eine Stunde später erreichten sie Simons Land.

Schon von Weitem sahen sie ihn mit Frau und Baby vor seinem Haus sitzen. Schliesslich waren sie nahe genug, sodass er auch sie sehen konnte und auf sie zugelaufen kam. Als er sie erreichte, stiegen sie von den Pferden und grüssten sich per Handschlag. Er freute sich sehr, alle wiederzusehen, und lud sie ein, bei ihm zu essen. Beim Haus begrüsste sie auch seine schöne Frau Tasalia, die wie die Frauen aus dem Dorf ihre langen Haare zu einem Zopf geflochten hatte. Auf ihren Armen waren ebenfalls Tätowierungen. Mit dem Kind auf dem Arm hiess sie alle herzlich willkommen und bat sie, auf den beiden Bänken vor dem Haus Platz zu nehmen.
Daraufhin legte sie das Baby in die Wiege, bei der links und rechts Vorhänge zum Schutz gegen die Sonne angebracht waren. Kurz

darauf brachte sie Gedecke und Teller, dazu Fleisch, Käse, Brot, Gemüse und etwas zu trinken. Alle dankten ihr und langten zu.

Während des Essens fragte nun Simon neugierig: »Es freut mich sehr, die Ehre zu haben, euch alle bei mir willkommen heissen zu dürfen. Doch welche Umstände sind es, die euch in meine bescheidene Hütte führen?«

José sah ihn lange an und erwiderte dann: »Simon, es freut uns sehr zu sehen, dass du dich zum Guten gewendet hast und eine so nette Frau und ein süsses Baby hast. Wir gratulieren dir. Doch gewisse Umstände, die in letzter Zeit passiert sind, zwingen uns dazu, dir einige Fragen zu deiner Vergangenheit zu stellen.«

Simon hörte aufmerksam zu, bedankte sich für die lieben Worte und meinte dann: »Ihr dürft mich alles fragen. Wenn ich irgendwie helfen kann, mache ich das gerne.«

Wurdri ergriff nun das Wort und fragte direkt: »Simon, du hast uns damals erzählt, wie du zu dem Kristall, der sich dann in einen Zauberstab verwandelte, kamst. Dabei erzähltest du von einem alten Mann, der ihn dir gegeben hat und so plötzlich, wie er gekommen war, auch wieder verschwand. Kannst du dich noch an ihn erinnern und ihn uns beschreiben?«

Simon hatte ruhig und entspannt zugehört. Als er sich nun an die dunkle Zeit erinnern musste, sackte er kurz zusammen. Doch seine Frau legte ihm liebevoll ihren Arm um seine Schultern, um ihm dadurch Kraft und Mut zuzusprechen. Also richtete er sich wieder auf, sah alle der Reihe nach an und fing angespannt und mit etwas zittriger Stimme zu erzählen an: »Ja, als ich damals in dieser fürchterlichen Spelunke war, um zu trinken, sprach mich dieser alte Mann an. Er hatte weisse Haare, bewegte sich langsam in gebückter Haltung und trug einen braunen Umhang mit Kapuze. Sein Alter kann ich beim besten Willen nicht sagen. So, wie er aussah, war er uralt. Aber warum fragt ihr mich das, ehrenwerte Herrscher?«

Also erzählte Wurdri ihm die ganzen eigenartigen Begebenheiten. Als er endete, sah ihn Simon mit weit aufgerissenen Augen entsetzt an und sagte, nein, schrie fast: »Hört diese leidige Geschichte denn nie auf? Er muss mir gefolgt sein und mich nur dazu benutzt haben, die Drecksarbeit für ihn zu verrichten.

Ihr sagt, dass er einen Zauberstab, der blaue Blitze schoss, bei sich hatte? Ist es möglich, dass er den Stab, den ihr mir damals zerbrochen habt – wobei zu meinem Glück meine böse Macht verloren ging –, wieder zum Funktionieren bringen konnte? Aber warum nur? Was will er denn damit erreichen? Damals erzählte er mir, dass er alt sei und keine Kraft mehr besitze. Dass er nur noch den Wunsch hege, nochmals seinen Schatten zu sehen. Und als ich von dem bösen Zauber befreit war, hatte ich ja meinen Schatten wieder, da ich wieder im Licht der Liebe leben durfte. Was könnte er nur damit bezwecken, ehrenwerter Wurdri?« Ein Schluchzen ging durch ihn hindurch und sein Körper zitterte, als er fortfuhr: »Was habe ich euch nur schon alles angetan und nun das auch noch. Es tut mir so unendlich leid. Bitte verzeiht!« Dabei sank er vor ihnen auf die Knie.

»Mein lieber Simon, steh bitte auf«, bat Wurdri und half ihm auf. Simon setzte sich schwerfällig und der Herrscher fuhr fort: »Das ist doch nicht deine Schuld. Du hast genug gebüsst für das, was damals passiert ist. Was nun kommt, hat mit dir überhaupt nichts zu tun. Wir sind auch nicht gekommen, um dir Vorwürfe zu machen, sondern lediglich um zu fragen, ob du uns den Mann beschreiben kannst. Und so, wie es aussieht, ist es der, den die Kinder im Wald gesehen haben. Du bist genauso ein Opfer des Bösen, wie wir es sind. Aber zusammen werden wir herausfinden, warum er hier ist und was er vorhat, und ihn auch besiegen. Wenn wir nur wüssten, was er zu tun gedenkt ...«

Simon hatte sich bei den lieben Worten wieder beruhigt und sass nun aufrecht auf seiner Bank, als er plötzlich hervorstiess: »Auf jeden Fall wusste er von Anthopia, da er mir ja mitgeteilt hatte, dass die Macht nur hinter dem Felsen bei der Röhre ausgeübt werden könne. – Wie geht es nun weiter?«

Wurdri sprach nun ganz ruhig und entspannt: »Wir sind nun schon etwas weitergekommen dank deiner Aussage, lieber Simon. Wir hoffen, dass wir bald die Gründe erfahren werden! Nun werden wir uns von euch verabschieden. Wir danken für eure liebenswürdige Gastfreundschaft und werden euch weiterhin über unsere Vorgehensweise unterrichten. «

Simon schaute Wurdri ehrfurchtsvoll an und erwiderte: »Ich danke euch von ganzem Herzen für euer Vertrauen. Wenn ihr möchtet, werden meine Frau und ich Betten für die Nacht vorbereiten.«

»Nein, nein, mein lieber Simon. Herzlichen Dank für dein Angebot, aber ihr müsst mit dem Baby Ruhe haben und wir sind bald schon im Dorf. Der Bürgermeister hat uns bestimmt schon ein Nachtlager zurechtmachen lassen. Zudem würden sie sich in Vella wohl Sorgen machen, wenn wir nicht zurückkehren.«

Daraufhin verabschiedeten sie sich herzlich voneinander mit dem Versprechen, wenn Hilfe benötigt würde, ihn rufen zu lassen. Sie setzten sich auf die Pferde und ritten winkend davon.

Das weitere Vorgehen

Wieder in Vella, wurden sie vom Bürgermeister zu einem grossen, sehr komfortablen Neubau gebracht. Dort warteten Bedienstete, um ihnen ihre Hilfe anzubieten. Zuerst duschten alle, zogen von ihren mitgebrachten Kleidern die bequemsten an und setzten sich dann in den grossen, sehr eindrucksvoll eingerichteten Saal. Ein langer massiver Holztisch mit zwölf Holzsesseln und hohen Lehnen, die mit glänzendem grauem Stoff überzogen waren, stand mitten drin. Die Wände waren mit wunderschönen Bildern von Anthopia geschmückt. An den riesigen Fenstern hingen weiche, bis zum Boden reichende, helle, transparente silberfarbene Vorhänge. Der Boden war aus grossen Marmorsteinen in einem herrlichen Mosaik erschaffen. Ein wuchtiger Schrank aus edlem Holz mit Glasfenster, hinter denen Fotos von den Herrschern, dem Zauberer und einigen wohl wichtigen Bürgern aufgestellt waren. Auf dem langen Holztisch standen links und rechts zwei sehr grosse Kerzenleuchter, die genügend Licht gaben und zugleich dem grossen Raum eine heimelige, wohlige Atmosphäre verlieh.

Als sie so da sassen und den Raum unter die Lupe nahmen, kamen die Herrscher herein. Serdri setzte sich neben Oli und fragte: »Seid ihr müde oder versuchen wir noch, das weitere Vorgehen zu besprechen?«

Oli sah die anderen an: »Was denkt ihr? Ich für meinen Teil bin noch nicht müde, eher aufgekratzt!«

Diese nickten und so ergriff Nordri das Wort: »Bei dem, was wir heute alles erfahren haben, müssen wir annehmen, dass es sich bei dem Fremden um den alten Mann handelt der dann verschwand. Doch sicher können wir nicht sein. Nun schlage ich vor, dass wir morgen ganz früh mit den Reitvögeln das Gebiet weiträumig überfliegen, um zu sehen, ob uns vielleicht von oben etwas Ungewöhnliches auffällt. Oder wie seht ihr das?«

»Genauso, vielleicht sehen wir aus der Höhe etwas mehr und können dann einen Plan erarbeiten«, meinte Nina.

Zufrieden sagte darauf Nordri: »Dann werden wir uns morgen in der Früh auf den Weg machen und über das Gebiet fliegen. Ich werde noch kurz beim Bürgermeister vorbeischauen und ihn bitten, uns Fernrohre zur Verfügung zu stellen.«

Daraufhin wünschte man sich eine gute Nacht und alle gingen in ihre Zimmer, um kurz darauf in einen tiefen Schlaf zu fallen.

Am drauffolgenden Morgen, es war noch ganz früh, sassen sie ganz entspannt beim Frühstück, was ihnen von den Bediensteten serviert wurde, und assen mit gutem Appetit. Sie hatten alle tief und fest geschlafen. Als sie fertig waren, holte José die Schwerter und Oli verteilte die vom Bürgermeister erhaltenen Fernrohre. Die Pferde standen bereits gesattelt vor dem Eingang und so ritten sie den kurzen Weg zu den Felsvorsprüngen, wo ihre Vögel geduldig auf sie warteten, während sie von den Vellanern mit Futter und Wasser verköstigt wurden. Sie setzten sich auf die Rücken der Tiere, liessen ihre rechten Hände unter deren Köpfe wandern und waren so gedanklich wieder eins.

Daraufhin fragte Wurdri: »Seid ihr alle bereit?« Sie nickten, erhoben sich in die Lüfte und überflogen langsam das infrage kommende Gebiet. Die Handhabung der Fernrohre während des Fluges war zwar noch ungewohnt, aber sie konnten mit der Zeit alles sehr deutlich erkennen. Als sie grössere Kreise flogen, sahen sie auf einmal an einem etwas weiter weg gelegenen Fluss Rauch aufsteigen. Falls dort jemand war, konnten sie jedoch nicht gesehen werden, da die Entfernung zu gross war und man nur die Vögel, aber nicht die Reiter hätte erkennen können. Diese zeigten einander per Handzeichen, dass sie weiter rechts auf den hervorstehenden Felsvorsprüngen landen würden.

Als alle von den Rücken der Tiere glitten, waren sie ziemlich durcheinander. Könnte das das Feuer des Gesuchten sein? Wenn ja, wie sollten sie vorgehen? José setzte sich zu den anderen, die sich auf grossen Steinen niedergelassen hatten, und begann: »Ich glaube, wir müssen uns anschleichen, um das Ganze zu beobachten. Wenn es sich tatsächlich um den alten Mann handelt, könnten wir vielleicht herausfinden, was er vorhat.«

Oli meinte zustimmend: »Ja, das ist sicher die beste Lösung. Immer zwei werden ihn einige

Stunden beobachten, dann werden sie abgelöst. Seid Ihr damit einverstanden?«

Wurdri war der Erste, der sich meldete: »Ist es sehr unanständig von uns, euch zu bitten, das heute zu übernehmen? Wir müssten dringend noch etwas anderes wegen unseres Landes erledigen.«

Freundlich sah Oli ihn an: »Das ist doch kein Problem, wir machen das schon. Und wenn wir Hilfe brauchen, können wir immer noch Simon oder einen der Dorfbewohner bitten, uns zu helfen. Allerdings bräuchten wir Proviant für uns und unsere Tiere, Decken und das Nötigste zum Übernachten. Wäre es möglich, uns dies zukommen zu lassen?«

»Aber selbstverständlich. Wir werden umgehend alles Nötige in die Wege leiten.«

»Vielen lieben Dank, Wurdri.«

»Du brauchst nicht zu danken. Wir hingegen sind euch zu grossem Dank verpflichtet, dass ihr uns schon wieder helft.«

Nun verabschiedeten sich die Herrscher und als diese weg waren, bemerkte Theo: »Ich würde vorschlagen, dass wir gleich anfangen. Wenn es recht ist, würde ich mit Nina die erste Beobachtung übernehmen. Vielleicht könntet ihr in der Zwischenzeit einen guten Platz suchen, wo wir schlafen und essen können und auf den Proviant und alles andere warten. Wärt ihr damit einverstanden?«

»Klar«, kam es wie aus einem Mund zurück. Somit gingen Theo und Nina mit zwei Fernrohren und etwas zu trinken im Gepäck los in Richtung des Rauchs. Um dorthin zu gelangen, brauchten sie nur einem Bachlauf zu folgen, den sie von oben gut hatten erkennen können. Sie erwarteten keine grösseren Hindernisse.

Auf dem Weg dorthin waren beide sehr schweigsam und hingen ihren eigenen Gedanken nach. Als sie fast am Ziel waren, fanden sie einen kleinen Hügel, der es ihnen ermöglichte, das Ganze gut und sicher beobachten zu können. Als sie oben angekommen waren und durch ihre Fernrohre durchsahen, erblickten sie tatsächlich einen alten Mann mit dunkelbraunem Umhang. Etwas weiter hinten sass ein anderer, wohl der Bewohner des Dorfes, der als vermisst gemeldet war. Und das Reh, das die Kinder gesehen hatten, war auch da, es war an einem Baum angebunden und schlief. Der alte Mann war gerade daran, die Röhren – wohl die, die er geklaut hatte – mithilfe des Zauberstabes zusammenzuschweissen. Das erklärte die Flammen und den Rauch.

Als Theo und Nina dies alles genügend beobachtet hatten, legten sie die Fernrohre beiseite, sahen sich an und Nina bemerkte ergriffen: »Die Gewissheit, dass es sich um den alten Mann handelt, hätten wir ja nun. Der Mann vom Dorf wurde wohl tatsächlich von ihm entführt und die Rohre hat auch er entwendet. Aber was er plant, wissen wir immer noch nicht. Auch wenn wir ihn weiter beschatten, werden wir dies wohl erst erfahren, wenn schon etwas geschehen ist. Wie sollen wir weiter vorgehen, Theo? Hast du eine Idee?«

Dieser starrte lange auf den Boden, bevor er antwortete: »Ja, du hast recht. Wir wissen, wer er ist, aber nicht, warum er da ist. Gehen wir besser zu den anderen zurück, um ihnen alles zu berichten, und vielleicht können wir gemeinsam eine Lösung finden. Wie es aussieht, wird dieser Alte wohl länger dort bleiben, sodass es keine Eile hat. Oder was denkst du, Nina?« Zustimmend nickte sie.

Also gingen sie den gleichen Weg, den Sie gekommen waren, wieder zurück. An der ursprünglichen Landestelle angekommen fanden sie eine Nachricht an einen Baum geheftet:

>*Der Proviant ist gekommen. Weiter oben haben wir eine super Schlaf- und Campiermöglichkeit gefunden.*
Gruss José, Jasmin u. Oli«

Sie nahmen den Zettel an sich und folgten dem Weg, den es durch das Getrampel der Freunde gegeben hatte. Auf einmal sahen sie weiter vorne einen kleineren Pfad, der auf einen Berg führte. Auf halbem Wege war ein Vorsprung, auf dem zwei grosse Zelte unter einem riesigen Baum standen. Ein wirklich guter Platz, um unbemerkt zu bleiben.

Als die beiden dort eintrafen, war alles schon bereit. Die Feuerstelle war überdeckt. Darauf köchelte das Essen und die anderen sassen auf den knorrigen Wurzeln des riesigen Baumes, die aus dem Boden ragten, an einem grossen aufklappbaren Tisch. Auf diesem lag ein Plan. Als die anderen drei Theo und Nina bemerkten, standen sie auf und fragten aufgeregt, ob etwas passiert sei, da sie schon wieder da waren.

»Nein, nein«, winkte Theo schnell ab. »Wir müssen euch alles erzählen und dann sehen wir weiter. Dürfen wir zuerst etwas zu trinken haben, bevor wir anfangen?« Schnell gab es klares Quellwasser und fruchtige Säfte, dann berichteten sie, was sie durch die Ferngläser beobachtet hatten. In der Stille, die nun eintrat, waren nur der Wind und das Rascheln der Blätter des Baumes zu hören, dann meinte José: »Ja, nun müssen wir sehen, wie wir herausbekommen, was dieser Alte will! Vielleicht bestünde eine Möglichkeit, Simon zu bitten, mit ihm zu reden?«

»Meinst du nicht, dass dies ziemlich gefährlich sein könnte und er ihn vielleicht plötzlich auch gefangen nehmen würde? Simon hat Frau und Kind und somit eine Verantwortung«, erwiderte Jasmin und sah fragend zu José.

Dieser nickte: »Ja du hast recht. Wir müssen eine andere Lösung finden, ohne dass jemand zu Schaden kommt. Diesem Alten ist doch alles zuzutrauen. Aber vielleicht will er ja gar nichts, sondern braucht nur Hilfe, weil er für sich ein Haus baut oder so?« Unsicher und doch hoffnungsvoll schaute er in die Runde.

Theo lachte auf: »Ja sicher, und die Flammen waren nur zum Witz gedacht? Nein, José, der hat was Schlechtes vor. Sonst bräuchte er ja auch keinen Zauberstab. Aber was nur?«

Alle sahen verzweifelt vor sich auf den Boden, bis Nina meinte: »Ich denke, auch wenn es sich doof anhört, dass wir abwarten müssen, was er macht, und dann so schnell wie möglich eingreifen. Denn vorher werden wir seinen Plan sicher nicht herausfinden.«

»Aber wir können doch nicht einfach abwarten und ihn machen lassen? Es muss doch etwas geben, damit wir mehr erfahren können? Vielleicht könnten wir ja jemanden vorbeischicken, um mit ihm zu plaudern?«

Theo setzte sich zu Jasmin, legte seinen Arm um ihre Schulter und meinte leise: »Meine liebe kleine Schwester, wir haben hier nicht einen netten alten Mann vor uns, sondern einen abgrundtief bösen, manipulierenden Menschen, der nur Schlechtes im Schilde führt. Der Zauberstab hat uns gezeigt, dass er schwarzmagische Kräfte besitzt und ganz bestimmt nicht das Gute, sondern nur das Böse will. Zudem ist er sicher nicht dumm und würde seine Pläne nicht einem Fremden mitteilen. Also verwerfen wir deine Idee ganz schnell. Entweder greifen wir ihn mit den Mächten unserer Waffen an oder wir müssen ihn weiter beobachten, um so schnell wie möglich herauszufinden, was er im Schilde führt. Übrigens, was habt ihr da für einen Plan auf dem Tisch liegen?«

»Der ist von dieser Gegend. Sie brachten ihn mit den Zelten und dem Proviant vorbei. Daraus sieht man, dass das ganze Gebiet hier Wald ist und super Versteckmöglichkeiten bietet für jemanden, der nicht entdeckt werden will!«

Angesichts des Umstands, dass nicht nur sie selber, sondern auch der Alte sich in so einem Gebiet unbemerkt bewegen konnte, sank die Stimmung kurz auf den Nullpunkt und niemand sagte mehr etwas. Das Essen auf dem Feuer war nun auch bereit, sodass alle ihre Teller nahmen und sich von dem feinen Eintopf bedienten, sich in Ruhe hinsetzten und assen. Als sie fertig waren und es langsam dunkel wurde, gingen die Mädchen in das eine und die

Jungs in das andere Zelt. Alle wünschten sich eine gute Nacht.

Am nächsten Tag waren alle schon ganz früh wach. Die Jungs machten ein Feuer und holten Wasser, die Mädchen bereiteten das Frühstück zu. Als alles bereit war, setzten sie sich wieder auf die Wurzeln an den Tisch und frühstückten. Als alle satt waren, meinte José: »Ich würde heute mit Jasmin zusammen den Anfang machen und den alten Mann beobachten. Vielleicht finden wir doch noch etwas heraus. In der Zwischenzeit könntet ihr die Umgebung erkunden und findet da möglicherweise einen Anhaltspunkt. Ist das für euch so in Ordnung?« Oli sah die anderen an. Diese nickten.
»Passt bitte auf euch auf!«
»Ja klar, wir passen auf. Ihr aber auch!«
»Wir geben uns Mühe. Dann gehen wir mal. Tschüss unterdessen.« José und Jasmin nahmen ihre Schwerter an sich, die Ringe trugen sie immer am Finger. Sie gingen den Weg zu dem Aussichtspunkt, den ihnen Theo und Nina beschrieben hatten. Dort angekommen konnten sie durch die Fernrohre beobachten, dass der alte Mann, wie schon Nina und Theo erzählt

hatten, mithilfe des Zauberstabes kleine Röhren zu einer langen zusammenschweisste. Das Reh war nicht mehr da. Was wohl mit ihm geschehen war? Sie wollten es sich gar nicht ausmalen.

Der Mann aus dem Dorf hatte tatsächlich in der Nacht ein kleines Haus aus dem geklauten Holz gezimmert. Das hiesse doch, dass der alte Mann beabsichtigte, länger hier zu bleiben ... Weiter beobachteten sie, wie dieser Formeln murmelte und dabei immer mehr blaue Funken aus seinem Zauberstab sprühten. Auch entdeckten sie, dass der Mann aus dem Dorf an einem Fussgelenk mit einer sehr langen Kette angebunden war. Also war er ein Gefangener und seine Frau hatte Recht gehabt, dass er nicht freiwillig weggegangen wäre. So, wie sie es sahen, ging es ihm aber ansonsten gut, ausser dass er gefangen war und arbeiten musste.

Alles verlief sehr ruhig. Nichts Aussergewöhnliches geschah.

Circa zwei Stunden mussten vergangen sein, als sich das auf einmal änderte. Von rechts her kamen viele Personen. Beim näheren Hinsehen viel den beiden auf, dass alle Umhänge mit

Kapuzen trugen, sodass man nicht erkennen konnte, wer oder was darunter war.

„Was um alles in der Welt bedeutet denn das und woher kommen die?« Entsetzt sah Jasmin zu José.

Dieser schüttelte nur den Kopf. »Ich habe absolut keine Ahnung. Warten wir ab, was weiter geschieht.«

Die Neuankömmlinge setzten sich neben das neu erbaute Haus auf den Boden. Der alte Mann sprach zu ihnen, aber natürlich waren Jasmin und José viel zu weit weg, als dass sie hätten hören können, um was es ging. Schließlich konnten sie sehen, wie alle dort wieder aufstanden und mit dem Gefangenen, Kimo vom Dorf, anfingen, mit grossen Holzbalken und Brettern weitere Häuser zu bauen. Dabei ging alles recht schnell, da es viele Hände waren, die kräftig zupackten.

Es war schon später Nachmittag, als sie mit zwei Häusern fertig geworden waren. Alle gingen in eines hinein und deshalb konnten Jasmin und José nichts mehr mitbekommen. Also entschieden sie, zu den anderen zurückzugehen, um ihnen Bericht zu erstatten.

Als sie im Lager ankamen, waren die drei anderen in aufgeregter Unterhaltung beim Essen. Jasmin und José nahmen ihre Teller, schöpften etwas von dem lecker duftenden Inhalt des Topfes, nahmen noch etwas Brot und setzten sich zu ihnen.

»Hey zusammen, habt ihr etwas herausgefunden?« José schaute dabei Oli neugierig an.

»Ja, wir hatten Besuch von jemandem aus dem Dorf. Dieser erzählte uns, dass im Nachbardorf fast die halbe Bewohnerzahl spurlos verschwunden wäre und niemand wisse, wohin. Und ihr?«

»Wir haben heute beobachtet, dass der alte Mann seinen Gefangenen, Kimo, gezwungen hatte, ein Haus zu bauen. Plötzlich kamen viele Gestalten in Kapuzenumhängen und bauten in kürzester Zeit zwei weitere Häuser. Ist es möglich, dass dies die verschwundenen Dorfbewohner sein könnten?« Bei dieser Frage zuckten die anderen kurz zusammen.

»Soll das heissen, dass er sie entführt und verzaubert hat, damit sie Arbeiten für ihn erledigen? Das wäre ja ungeheuerlich!«

»Du sagst es, Nina, das wäre wirklich unglaublich, wenn er solche Macht besitzen würde. Er hat bestimmt vor, die Herrschaft dieses Landes zu übernehmen!«, war José überzeugt, und als er dies ausgesprochen hatte, wurde es allen klar.

Dieser alte Mann wollte die Welt Anthopia an sich reissen und mit seiner bösen Macht regieren.

Suche nach
Lösungen

Sie waren sich darüber alle einig, dass dieser alte Mann in Anthopia der einzige Herrscher werden und mit harter Hand seinen Willen durchsetzen wollte. Wie konnten sie dies verhindern, wenn er doch das Böse darstellte? Wieder mit einem Plan? Wie bei der Befreiung von Wurdri? Doch damals wussten sie genau, um was es ging! Hier und heute war alles erst mal reine Spekulation. Gesprochen hatten sie ihn nicht und wie er hiess, wussten sie auch nicht. Was also konnten sie tun? Oli sprach: »Leute, lasst uns nicht das Herz schwer machen. Es besteht Hoffnung und wir finden sicher eine Lösung, auch wenn wir sie zurzeit nicht sehen. Was können wir also nun tun? Das Beste wird vielleicht doch sein, wenn wir mit diesem Magier einmal reden und dann sehen, was er vorhat.«

»Was meinst du damit, mit ihm reden? Ich glaube nicht, dass man mit so einem reden kann!«, entrüstet und wütend stiess Nina dies hervor.

»Wir müssen ihn aus der Reserve locken, wenn wir erfahren wollen, was er wirklich will«, rechtfertigte sich Oli.

»Ich glaube, du hast Recht. So etwas erwartet er nie und nimmer und so kommen wir an die meisten Infos«, fand Theo.

Die anderen schauten sich der Reihe nach unsicher an. Nach und nach wurde auch ihnen klar, dass dies der einzige Weg war, um etwas in Erfahrung bringen zu können.

»Aber ehrlich, wer traut sich denn, zu dem hinzugehen?«, fragte Jasmin voller Angst.

»Wir alle zusammen natürlich. So wie wir es von Mervin, gelernt haben. Immer zusammen, keine Alleingänge. Nur so kann das Böse besiegt werden.« meinte Nina klar.

»Wie gehen wir denn dabei vor? Vielleicht wird er ja versuchen, uns mit seiner schwarzen Magie zu verzaubern oder sogar zu töten.« Wieder sah Jasmin ängstlich umher.

«Jasmin, wenn wir alle zusammen hingehen mit unseren Zauberwörtern, den Ringen und den magischen Schwertern, sind wir geschützt«, entgegnete Oli mit fester Stimme.

Theo fragte: »O.k., Oli, dann werden wir jetzt zu ihm gehen und ihn damit konfrontieren?«

»Ja, am besten gleich, ansonsten geht mein Mut weg.« Jasmin wurde es bei der Vorstellung, zu diesem furchtbaren Kerl hingehen zu müssen, ganz übel. Ihre Beine zitterten.

Doch alle standen auf, nahmen ihre Schwerter, vergewisserten sich, dass alle den Ring am Zeigefinger trugen, und marschierten zusammen los.

Nach ungefähr einer Dreiviertelstunde kamen sie an den Rand des Waldes, in dem sich der alte Mann mit den anderen befand. Von nun an schlichen sie vorsichtig hintereinander her. Als sie die Hütten von Weitem sahen, duckten sie sich und gingen von Baum zu Baum wie früher bei ihren Indianerspielen, um sich immer wieder verstecken zu können. Als sie schon recht nahe herangekommen waren, hörten sie die Leute reden. Aber was, verstanden sie nicht. Nun nahmen sie ihren ganzen Mut zusammen, umklammerten ihre Schwerter fest, bereit, einen Angriff abwehren zu müssen, und näherten sich den Hütten. Als sie schon fast da waren, kam ihnen wie aus dem Nichts der

Mann, der vom Dorf entführt worden war, entgegen und hinter ihm? Der alte Mann!

Einen kurzen Moment lang blieb ihnen fast das Herz stehen. Der böse Zauberer und Kimo, der Mann vom Dorf, hielten für einen kurzen Moment inne, da sie sich wohl etwas überrumpelt fühlten. Dann aber stellte sich der Alte vor sie hin und fragte mit einer unheilvoll und heiser klingenden Stimme: »Wer seid ihr? Wo kommt ihr her? Was wollt ihr hier?«

José, der sich als Erster wieder gefasst hatte, baute sich vor dem miesen Kerl auf und nahm seinen ganzen Mut zusammen: »Wir sind hierhergekommen, um von dir zu erfahren, wer du bist! Was du hier willst und was du für einen Plan hast!«

So, jetzt war es raus und nicht mehr rückgängig zu machen.

Der Angesprochene sah sie ungläubig an. Seine stark zusammengekniffenen Augen zeigten, dass er sehr wütend war, und genauso klang er: »Ich bin hier, um mir das zurückzuholen, was mir eigentlich rechtlich zusteht – Anthopia!« Dabei sah er jeden mit seinen eiskalten Augen an, dass ihnen ganz anders zumute wurde. Und er fuhr boshaft fort: »Ich werde das Land als

Einziger regieren und es wird endlich zum Fortschritt gebracht. Mit diesen Herrschern, die es bis jetzt hatte, wird es ja stetig so weitergehen und nichts wird sich verändern. Darum bin ich hier!«

Während seiner Rede war alles still geworden. Niemand traute sich etwas zu sagen. Es vergingen einige Minuten, bis sich José aus seiner Erstarrung lösen konnte, sich aufraffte, seine Schultern straffte und dem alten Mann direkt in die Augen blickte: »Niemand, hörst du, niemand von hier wünscht sich, dass sich etwas ändert. Da es bereits eine Welt gibt, die du auch kennst, in der Menschen alles besitzen und nicht alle glücklich darüber sind, kannst du dorthin zurückgehen. Hier leben die Anthopier mit der Natur und sind zufrieden. Also lass deinen unmöglichen Plan und geh zurück auf die Erde.«

»Niemals werde ich dies tun! Nur über meine Leiche! Ich versuche schon seit Jahren die Herrschaft zu bekommen. Hatte auch schon einen jungen Mann hierher geschickt, um einen der Herrscher zu entführen, sodass mit der Zeit die Dunkelheit über das Land gekommen wäre und ich so die Macht erhalten hätte. Aber dieser elende Feigling und Nichtsnutz hat es nicht geschafft. Er war zu blöde. Doch jetzt ist die Zeit gekommen, wo ich alles in die Hand nehme. Den Zauberstab, den dieser Weichling hatte zerbrechen lassen, konnte ich retten und habe nun so viel Macht, dass niemand gegen mich jemals eine Chance hat. Jeder in diesem Land, der auch nur manchmal dunkle Gedanken besitzt, werde ich für meine Zwecke gebrauchen können. So wie diese vielen ansonsten nutzlosen Menschen da«, damit zeigte er mit einer grossen Gebärde, indem er seinen Umhang schwang, hinter sich, »die ich von einem Dorf ein paar Kilometer von hier mitbrachte und die durch meinen Zauber alles tun werden, was ich ihnen auftrage. Und die anderen, die nur das Gute in sich haben, werden uns folgen müssen, da es viel zu wenige davon gibt. Ha! Ha! Ha!«, lachte er hämisch und hasserfüllt auf und liess seinen Zauberstab in seiner Hand kreisen. Daraus schossen blaue Blitze hervor.

Oli hatte genug gehört, nahm seinen ganzen Mut zusammen und rief ihm wütend zu: »Das werden wir nicht zulassen, hörst du. Wir werden gegen dich kämpfen und dich besiegen.

Denn das Gute wird siegen und nicht das Böse!«

Der alte Mann drehte sich zu ihm um, sah ihn boshaft an. Dabei verzog sich sein Gesicht zu einer schrecklichen Maske und als er antwortete, war seine Stimme die eines wilden Tieres: »Niemals, hört ihr, ihr Narren, niemals werdet ihr mich aufhalten können. Meine Macht ist grenzenlos und wenn ihr nicht gewillt seid mir zu folgen, werdet ihr diese in ihrer ganzen Kraft kennenlernen. Ich bin Toranius, der grösste Zauberer, den es je gegeben hat und geben wird. Ich werde niemals aufgeben. Hört ihr? Niemals! Und jetzt verschwindet von hier, bevor ich mich vergesse, und richtet den Herrschern Folgendes aus: Toranius, der grösste Magier, ist wieder da!«

Für die Freunde wurde es so unheimlich, dass sie keine andere Wahl hatten als so schnell, wie es ihnen möglich war, den Rückzug anzutreten. Sie rannten, als wäre der leibhaftige Teufel hinter ihnen her. Als sie schon weit von dem Lager des Bösen entfernt waren, hörten Sie Toranius immer noch wie ein wildes Tier umherschreien.

Als sie völlig ausser Atem, durchnässt von Schweiss, aber unverletzt, wieder in ihrem Lager angekommen waren, brauchten sie einen Moment, um sich wieder zu beruhigen. Dann, als der erste Schock etwas vorüber war, machten sie Feuer, setzten Wasser auf, gaben Gemüse und Kräuter hinein und warteten, bis alles kochte. Dann nahm jeder seinen Becher und füllte ihn mit Suppe. Damit setzten sie sich um den Tisch herum.

»Das ist wirklich ein gefährlicher Zauberer, der seine Drohung wahrmachen wird«, fing Nina an.

Theo war anderer Meinung: »Da bin ich mir nicht so sicher. Vielleicht wollte er sich dabei nur wichtigmachen!«

Oli, der den beiden aufmerksam zugehört hatte, schüttelte den Kopf, sah sie dann ungläubig an und erwiderte: »Nein, sicher nicht, ich glaube, dass er uns damit etwas sagen wollte, was uns nur die Herrscher erklären können. Ansonsten hätte er uns sicher sofort alle miteinander verzaubert oder sogar getötet. Also schlage ich vor, dass jemand von uns zum Dorf zurückfliegt, um die Herrscher mit Mervin hierher zu bringen. Seid ihr auch dieser Meinung?«

Alle nickten. Nun wurde beschlossen, dass Jasmin zusammen mit Oli zurückfliegen sollte. Damit es nicht unnötige Unruhe gab, sollten sie im Dorf aber nichts davon erzählen, was sie gerade eben erfahren hatten. Also machten die zwei sich auf den Weg.

In der Zwischenzeit bereiteten die anderen ein grosses Mahl zu. Als Jasmin und Oli mit dem Proviant, den Herrschern und Mervin zurückkehrten, waren sie gerade fertig und dabei, den Tisch zu decken. Sie empfingen die die Ankommenden herzlich, aber doch mit besorgten Gesichtern.

Als sie alle am Tisch sassen und mit grossem Appetit assen und tranken, fragte Serdri plötzlich: »Warum, meine lieben Freunde, mussten wir kommen? Habt ihr etwas herausgefunden?« Antworten wollte erst keiner so recht, aber als alle das Essen beendet hatten, räumten Jasmin und Nina in Windeseile ab.

Als nur noch die Getränke auf dem Tisch standen, fing José an, das Geschehene zu erzählen. Mervin und die Herrscher hörten ihm aufmerksam zu, bis er den Namen Toranius erwähnte. In diesem Augenblick wurden allesamt kreidebleich und Ordri fragte mit zitternder Stimme: »Seid ihr sicher, dass dieser Mann ›Toranius‹ sagte?«

»Ja«, antworteten alle im gleichen Augenblick.

»Warum? Kennt ihr ihn?« Fragend sah José sie an.

Unruhig stand Wurdri auf, blickte alle der Reihe nach an, räusperte sich und sprach mit unsicherer Stimme: »Ja, Toranius war vor vielen Jahren ein grosser Magier und wurde durch seine dunkle Zauberkraft zu unserem schlimmsten Feind. Niemand von uns hätte gedacht, dass er damals den Kampf gegen Mervin überleben konnte. Aber offensichtlich hat er dies und dabei genügend Zeit, einen Plan auszudenken, bei dem er uns doch noch alle hintergehen und vernichten kann!« Im selben Moment, als er dies sagte, sackte er zu Boden. Auch wenn Nina ihm sogleich Wasser einflösste und seine Beine hochlegte, hatte er grosse Mühe, sich zu beruhigen.

Mervin und Toranius

Als sich Wurdri einige Minuten später wieder einigermassen gefangen hatte, setzte er sich aufrecht hin, sah dabei alle traurig an und fing an, die Geschichte von Mervin und Toranius zu erzählen:

»Als wir alle noch Kinder waren und in die Schule gingen, kam eines Tages ein neuer Junge in unsere Klasse. Niemand wusste, woher er kam. Nur so viel, dass er alleine war und von einer Familie in unserem Dorf wie ein eigener Sohn aufgenommen wurde. Auch er selber erzählte uns, dass er seine Vergangenheit vergessen hätte und sich an nichts erinnern könne. Da haben wir ihn, wie es in unserer Kultur üblich ist, in unserer Mitte als einen von uns aufgenommen. Er war ein sehr stiller, aber wissbegieriger Junge. Am liebsten verbrachte er seine freie Zeit mit Mervin, unserem Zauberer. Die zwei sassen stundenlang vor den magischen Büchern und versuchten die geheimnisvollen Sprüche zum Leben zu erwecken. Wir, die wir heute die Herrscher von Anthopia sind, lasen viel in den Büchern der Geschichte. Wenn wir dann aber alle zusammen waren, hielten wir diesen Toranius für einen etwas eigenartigen Jungen. Aber immer, wenn wir dies Mervin gegenüber äusserten, sagte dieser, dass wir ihn halt nicht kennen würden.«

Hier unterbrach er einen kurzen Moment seine Erzählung und schaute die drei Herrscher und Mervin der Reihe nach an. Als diese ihm alle aufmunternd zunickten, fuhr er fort: »Jahre gingen ins Land. Als wir dann erwachsen waren, zu Herrschern gewählt wurden und dabei unsere grossen Siegelringe als Zeichen der Macht erhielten, sahen wir in Toranius' Augen Eifersucht und Hass. Als wir unseren Eindruck dessen wiederum Mervin erzählten, wollte er dies nicht sehen. Als dann einige Zeit später Mervin von den Bewohnern Anthopias zum grossen Zauberer des Landes gewählt wurde, veränderte sich Toranius auf böse, hinterhältige Weise. Ich weiss noch, wie Mervin aufgelöst und zutiefst unglücklich uns aufsuchte und mitteilte, dass sich Toranius mehr für die dunkle und böse Seite der Zauberei interessierte und ihn dies sehr verunsicherte. – Nun gingen Jahre um Jahre ins Land, in denen wir alle recht friedlich miteinander lebten. Bis dann eines Tages ein Fest zu Ehren von Mervin gegeben wurde, da er viel Gutes für Anthopia und seine Bewohner getan hatte. Mitten in der Feier brach plötzlich ein fürchterlicher Sturm abrupt über alle herein. Wie aus dem Nichts tauchte Toranius in einem dunklen Umhang mit einem Zauberstab, aus dem gleissend blaue, furchteinflössende Blitze emporschossen. ›Ich habe genug von euch immer liebevollen, falschen Anthopiern. Ich werde die Herrschaft an mich reissen und euch zeigen, dass das Leben noch ganz andere Qualitäten und Möglichkeiten bietet!‹ Damit verschwand er so schnell, wie er gekommen war. Der Sturm legte sich sogleich wieder. Alle waren zutiefst erschrocken. Niemand verstand, was los war. Mervin suchte Antworten in seinem Zauberbuch. Doch fand nichts.

Von diesem Tage an begann für uns eine Zeit der Angst und Ungewissheit. Jeder misstraute jedem. Bis eines Tages Mervin, Toranius aufsuchte, um ihn zur Vernunft zu bringen. Doch dieser wurde wütend und drohte, Mervin zu vernichten. Von da an verstand Mervin, dass Toranius dem Bösen, also der schwarzen Magie verfallen war. Die Zeit, die nun folgte, war fürchterlich. Es verging kein Tag ohne Angst und Misstrauen. Eines Tages war alles ganz anders. Die Leute waren sehr unruhig. Schwarze Wolken hingen am Himmel und es fing plötzlich an zu donnern und zu blitzen. Regen peitschte vom Himmel und wir, die Herrscher, der Zauberer, einige der Gelehrten, sassen alle in einem grossen Raum beisammen, als plötzlich dessen Türe aufgerissen wurde. Toranius stand im Türrahmen und hatte schrecklich verzerrte Gesichtszüge, sodass wir alle erschrocken in eine Ecke des Raumes eilten. Nur Mervin hielt diesem fürchterlichen Blick stand. Toranius' Umhang wehte wild und unheilvoll und sein Zauberstab schoss diese fürchterlichen Blitze hoch und nach allen Seiten. Es sah aus, als würde er in Flammen stehen, bis uns klar wurde, dass er dies in seinem Wahn so tat, um uns zu ängstigen. Er schrie mit hasserfüllter Stimme: ›Jetzt ist die Zeit gekommen, wo ich euch vernichten werde und die Herrschaft von Anthopia in meinen Besitz übergeht! Ihr habt keine Chance! Also versucht es gar nicht erst! Ich hasse euch, eure Liebenswürdigkeit, eure Bereitschaft, immer bereit zu helfen, und eure Güte. Jetzt ist die Zeit des Bösen und des nicht Verzeihens gekommen. Also bye-bye, ihr Törichten!‹ Dabei liess er seinen Zauberstab dreimal kreisen und ein riesiger starker Wirbel umgab uns schlagartig. Wir wurden dabei ohnmächtig.«

Jetzt musste Wurdri kurz seine Geschichte unter-brechen, da es ihm viel Kraft abverlangte, dies alles zu erzählen. Doch schnell brachten ihm die anderen wiederum ein Glas Wasser, das er trank, wonach er fortfahren konnte: »Als wir dann, viele Stunden später, langsam wieder zu uns kamen, war alles ruhig. Das Unwetter hatte sich verzogen. Die Sonne schien in den Raum. Ich sah auf, nahm alle meine Kraft zusammen und erhob mich. Einer nach dem anderen machte mir nach. Jeder setzte sich auf seinen Stuhl. Zum Glück waren alle wohlauf. Nur einer fehlte, Mervin! Angst und Ungewissheit, was unterdessen geschehen war, liessen uns erschaudern. Niemand traute sich auch nur, sich zu rühren. Als alle wie erstarrt da sassen, ging die Türe plötzlich auf. Dahinter tauchte zwar schmutzig, mit zerrissenem Umhang, zerfetztem Hut und einigen blutenden Wunden, aber sonst heil Mervin auf. Alle liessen ihrer Freude darüber in Juchzen und Singen freien Lauf. Ich aber stand auf, ging auf Mervin zu, reichte ihm meinen Arm und führte ihn zu seinem Sessel. Als er sich gesetzt hatte, gab ich ihm ein Glas Wasser und liess es mir nicht nehmen, ihn kurz zu umarmen und ihm zuzuflüstern: ›Geht es dir gut? Ich bin so froh, dich zu sehen.‹ Er aber sah mich an. Seine Augen waren voller Tränen, als er erwiderte: ›Wurdri, leider konnte ich Toranius nicht mehr helfen. Im Kampf mit den Zauberstäben ist er, durch einen Zauberspruch von mir, zu einer Wolke aus Sand geworden. Auch wenn er das Böse liebte und ich ihn nicht vom Gegenteil überzeugen konnte, war er doch eine Person, die ich zu kennen glaubte. Jetzt ist der Spuk vorbei. Doch hoffe ich, dass uns dies eine Lehre sein wird und wir trotz unseres liebevollen Miteinanders nicht vergessen werden, dass jederzeit Böses zu uns kommen kann.‹«

Damit endete Wurdri mit seinen Erzählungen. Es war ganz still. Niemand sagte ein Wort. Alle blickten einander an und man sah, dass es in ihnen arbeitete.

Nach nicht enden wollenden Minuten stellte die erste Frage Theo: »Wie kann es dann sein, dass dieser Toranius noch lebt und nun wieder hier auftauchen konnte?«

Mervin starrte vor sich hin. Dann plötzlich ging ein Rucken durch seinen Körper, bis er sich im Stuhl aufrecht hinsetzte und antwortete: »Ich kann nur mutmassen, dass damals wohl mit dem Zauber etwas nicht stimmte. Da er die schwarze Magie beherrschte und dadurch einen Gegenzauber ausführen konnte, zeigte mir dieser als eine Vision das was ich zu sehen glauben sollte, aber anstatt nach meinem Zauber zu Sand zu werden, konnte er mit dieser Sandwolke zu einem anderen Ort entschwinden. Nur so kann ich mir erklären, dass er nach so vielen Jahren wiederkommen konnte. Aber das Schlimmste dabei ist, dass er sich in dieser Zeit verstecken konnte und er mit noch grösserer Macht zurückgekehrt ist. Was er derweilen an Wissen der schwarzen Magie erlernen konnte, ist für uns natürlich noch gefährlicher. Also müssen wir auf der Hut sein und uns wirklich gut überlegen, was wir nun gedenken zu tun. Denn die Kraft der bösen Magie geht über jede Vorstellungskraft hinaus.«

José, der aufmerksam zugehört hatte, fragte nun vorsichtig: »Gibt es denn überhaupt eine Möglichkeit, einen echten bösen Zauberer der schwarzen Magie zu besiegen?« Nun wurde es einen Augenblick still.

»Ja, es gibt einiges, mit dem man der schwarzen Magie Herr wird, aber das Problem dabei ist, dass man nicht gegeneinander antreten kann, sondern eine List dazu braucht. Denn beim direkten Kampf würde immer der Böse gewinnen, da er jeden Zauber in einen Gegenzauber umwandeln kann. Wie ein Bumerang, der immer wieder zu einem zurückkommt!«

In der Zwischenzeit war es sehr spät geworden. Deshalb entschieden sie, schlafen zu gehen und am nächsten Tag das weitere Vorgehen zu besprechen. Da die Freunde sich schon gedacht hatten, dass die Herrscher und der Zauberer über Nacht bleiben würden, hatten sie eines der Zelte für sie vorbereitet. Diese bedankten sich und wünschten allen eine gute Nacht. Man merkte, dass die Vergangenheit ihnen sehr viel Energie und Kraft geraubt hatte. Sie waren sehr traurig. Die Freunde räumten noch alles zusammen und legten sich dann in das andere Zelt zum Schlafen hin.

Die Entscheidung

Am darauffolgenden Morgen waren die fünf schon ganz früh auf den Beinen und bereiteten das Frühstück zu, entfachten neu das Feuer, stellten eine grosse Pfanne darauf und brieten knusprige Spiegeleier. Als sie gerade mit allem fertig waren, kamen die Herrscher und Mervin aus dem Zelt. Sie setzten sich an den gedeckten Tisch und dankten herzlich.

»Konntet ihr einigermassen schlafen?«

Serdri sah Theo mit einem schelmischen Lächeln an, was ihm ein ganz jungenhaftes Aussehen verlieh, und erwiderte: »Wir konnten alle sehr gut schlafen und die aus Stroh hergemachten Betten sind einfach wunderbar. Wir danken euch von ganzem Herzen für die liebevolle Betreuung unserer alten Knochen!«

Ein Grinsen und Schmunzeln ging durch alle Gesichter. Nun wurde reichlich gefrühstückt. Nachher räumten die fünf alles ab, stellten, wie sie es bei den Dienern gesehen hatten, Gläser und kalte Getränke auf den Tisch und setzten sich wieder zu ihnen.

»Ich habe mir die halbe Nacht viele Gedanken gemacht, was damals schiefgelaufen ist. Das Einzige, was ich mir vorstellen kann, ist, wie ich es gestern Abend schon erwähnte, dass Toranius während unseres Kampfes einen Gegenzauber aussprechen konnte, der ihn nicht zerstörte, sondern nur in eine andere Sphäre gleiten liess. Und genau deshalb ist es sehr wichtig, dass uns klar bewusst ist, dass wir das wirklich fürchterlich Böse nicht zum Guten wenden oder es besiegen können, sondern wir ihm sein eigenes Ich vorhalten müssen.«

»Ich denke auch«, pflichtete Oli, Mervin bei, »dass wir einen wirklich guten und perfekten Plan erarbeiten müssen, um überhaupt eine Chance gegen ihn haben zu können. Ansonsten werden wir untergehen!«

»Für mich ist es aber trotzdem sehr wichtig, dass wir ihm noch eine letzte Chance geben, bevor wir den Plan, den wir zusammen erarbeiten, ausführen!« Mervin sah dabei alle an und fuhr fort: »Ich will ihn mit sich selber konfrontieren, indem ich ihm sein eigenes Ich vor Augen halten werde. Und wenn wir Glück haben, ist doch ein Funken Gutes in ihm.«

»Mervin, du bist unverbesserlich! Reicht es dir noch nicht, was Toranius damals mit uns machen wollte? Wir hatten unglaubliches Glück und nun hat er erneut vor, dies zu wiederholen! Es ehrt dich ja, wenn du jedem eine Chance gibst, aber bei Toranius ist es verlorene Zeit. Er ist und bleibt böse.« Dabei sah Wurdri Mervin kopfschüttelnd an.

»Du hast sicher recht, lieber Wurdri, aber ich will nichts unversucht lassen. Ich würde es mir nicht verzeihen können«, murmelte er ganz leise wie zu sich selbst und fuhr dann fort: »Ich werde nun überlegen, wie ich am besten vorgehe. Wenn das nicht funktioniert und Toranius nicht von seinem Plan, uns alle zu beherrschen oder sogar uns zu beseitigen, ablässt, dann müssen wir ihn besiegen. So traurig wie das klingt, aber das ist nun mal so.«

»Ja, so sehe ich das auch. Es muss ein Plan her, bei dem er einfach keine Chance mehr hat. Aber wie sieht so ein Plan aus bei einem so bösen, abartigen und hasserfüllten Zauberer?«

»List, mein lieber Theo. List ist die Antwort. Mit seinen eigenen Waffen schlagen, damit er keine Möglichkeit mehr hat, diese für sich zu verwerten. Es gibt in der schwarzen Magie nur eine Variante, um zu siegen, und die heisst: List. Wir müssen nun zurück in eure Villa, um dort einen Plan zu entwickeln.«

»Ja, Mervin, du hast recht. Packen wir also alles zusammen und fliegen auf dem schnellsten Weg nach Hause.« Oli stand auf.

Serdri meinte: »Es ist sehr schön zu hören, wie du die Villa, die für euch gebaut wurde, dein Zuhause nennst.«

Nun erhoben sich alle und halfen einander, die Sachen zusammenzupacken.

Ordri meinte dann: »Die Zelte lassen wir stehen, da wir dieses Lager bestimmt ein zweites Mal benötigen werden! Sehen kann es ja niemand. Ausser es ist jemand auf der Suche danach. Aber da niemand etwas davon weiss, ist es ohne Bedeutung.«

Als alles zusammengepackt war, pfiffen sie ihre Reitvögel herbei, die in den ganz oben gelegenen Felsen weilten. Sogleich kamen diese herangeflogen.

Es war wie immer ein unbeschreiblich anmutiges Bild, als diese riesigen Tiere mit ihren schönen, grossen, glänzenden Federn, den riesigen Krallen, den spitzen gefährlich langen Schnäbeln herabgeflogen kamen und so leicht und graziös wie eine Feder landeten. Die Hände wurden aufgelegt und die direkte Verbindung zwischen Mensch und Tier war wieder da. Die zwei zusätzlichen Reitvögel wurden mit dem restlichen Gepäck beladen und als alles fertig war, flogen sie schweigend auf ihren Tieren zur Villa zurück.

Die verschlossene Tür

Sie waren schon den zweiten Tag wieder zurück in der Villa, als Jasmin beim Frühstück auf einmal fragte: »Warum ist eigentlich die Türe im Keller unten verschlossen?«
Erstaunt schauten sie ihre Freundin an, bis Theo wissen wollte: »Wie kommst du denn jetzt darauf?«
»Ich weiss es nicht, aber ich hatte letzte Nacht plötzlich so ein Gefühl, als könnte dies der Schlüssel zu unserem Sieg gegen Toranius sein!«
Mervin sah sie lange an und man bemerkte, dass es in seinem Kopf arbeitete.
»Leider wissen wir auch gar nicht, warum diese verschlossen ist. Es existiert auch kein Schlüssel. Beim Bau der Villa befragten wir alle, die daran arbeiteten, aber jeder sagte uns das Gleiche. Die Türe wäre am nächsten Morgen einfach da gewesen. Öffnen konnte sie bislang niemand. Mit allem wurde versucht, diese

aufzubringen. Vergebens! Deshalb taten wir dies als Deko ab und haben uns seither nicht weiter damit auseinandergesetzt«, erklärte Serdri.

Nun wurde hin und her diskutiert, aber niemand konnte verstehen, was diese Türe nun mit Toranius zu tun haben könnte. Nach dem Mittagessen, als die Herrscher und Mervin ihr tägliches Nickerchen hielten, gingen die fünf nach unten und traten vor die geheimnisvolle Türe. Es wurde allen unheimlich zumute, als sie bemerkten, dass sich die Türe wirklich nicht öffnen liess. Nach einigem Drücken und daran Ziehen probierten sie, mit einem Brecheisen diese aufzubrechen, aber ohne Erfolg. Dabei lehnten sie sich enttäuscht und traurig daran. Da geschah jedoch das Unerwartete, als diese sich langsam nach innen öffnete. Sie ging so langsam auf, dass die Freunde, obwohl sie sehr erschraken, sich festhalten konnten und nicht über die Schwelle stolperten.

Als die Tür ganz offen war und sich das erste Erstaunen gelegt hatte, traten sie heran – und was sie dann sahen, beraubte sie fast ihrer Sinne: Eine kurze Treppe, die zu einem wunderschönen Waldweg führte, tat sich vor ihnen auf. Hohe, bis fast zum Himmel hin ragende Bäume, durch die sich freundliche Sonnenstrahlen auf den Weg ergossen, der mit grossen Steinen belegt war, und das Ganze in ein gelb-goldenes Licht tauchten. Ein Anblick wie aus einem Märchen!

Als die Freunde langsam aus ihrer Erstarrung erwachten, schauten sie sich verwundert an, bis Nina als Erste ihre Stimme wiederfand: »Was ist denn das?«

Alle schüttelten die Köpfe, nahmen einander an den Händen, schritten die Treppe hinunter und liefen durch den wunderschönen, märchenhaften Wald. Einige Zeit schlenderten sie so dahin und nahmen dabei die ganze Schönheit um sich herum auf. Auf einmal bemerkten sie zu ihrer Verwunderung, dass sie bei einem Felsen angelangt waren, der ihnen bekannt vorkam. Nach einigem Überlegen erinnerten sie sich daran, dass sie hier Unterschlupf gefunden hatten, als sie bei ihrem letzten Abenteuer in den Sandsturm geraten waren. Das war dieser Felsen. Wie war das aber möglich? Damals waren sie doch schon rund zwei Tage geflogen und jetzt waren sie gerade mal einige Minuten zu Fuss unterwegs?

»Ob wohl das Drachenbaby noch dort ist?« Bei diesem Gedanken wollte Nina sofort in die Höhle stürmen, um nachzusehen, doch Oli hielt sie am Arm zurück und meinte entschieden: »Nina, es verging hier seither viel Zeit. Das Baby ist heute ein ausgewachsener Drache. Du weisst nicht, ob er gefährlich ist. Bitte halte dich zurück!«

Die anderen teilten diese Meinung. So schlichen sie alle zusammen ganz leise in die Höhle hinein.

Ihre Augen mussten sich zuerst an die Dunkelheit gewöhnen. Als sie nun langsam die Umrisse wahrnahmen und wie damals die Bächlein sahen, die von den Felswänden herunterliefen, hörten sie ein lautes Schnaufen und sahen wie aus dem Nichts zwei riesige Augen, die sie neugierig musterten. Ihnen blieb kurz der Atem stehen und sie trauten sich nicht mehr sich zu bewegen.

Langsam kamen die Augen näher und der Umriss eines grossen Drachen wurde sichtbar. Nina nahm all ihren Mut zusammen und wandte sich ganz zärtlich und leise zu ihm: »Hallo Kleiner, wir sind es, die Leute, die dir damals zu essen gaben, als deine Mam nicht bei dir war!«

Alle sahen zu diesem riesigen Drachen hoch und dachten insgeheim dasselbe: Klein, ja genau! Die funkelnden moosgrünen Schuppen, die irisierenden Augen, die feuerbereiten Nüstern... nichts erinnerte noch an den friedlichen, kleinen Drachen von früher der bei Blubbergeräuschen seines Bauches einen kleinen Drachenpups los lies und dabei die Umgebung hatte vibrieren lassen.

Der Drache blieb bei der Stimme abrupt stehen, lauschte den Worten und kam dann mit seinem Kopf ganz nahe an Nina heran, schnupperte und rieb dann seinen grossen Kopf an ihr, wohl um ihr zu verstehen zu geben, dass er sie erkannt hatte. Nina war überglücklich und strich ihm zärtlich über seine Nüstern. Dies genoss der Feuerspeier, legte sich der Länge nach hin und alle kraulten ihm den Bauch. Es war unglaublich. Ein riesiger Drache, mit Nasenlöchern fast so gross wie der Kopf eines Menschen, der vor ihnen auf dem Rücken lag und sich von ihnen verwöhnen liess. Seine Flügel hatten die Farbe eines Regenbogens und seine Klauen waren riesig. Als er vor lauter Genuss kurz seine grossen Augen öffnete, sahen sie nur Gutmütigkeit und Liebe darin.

Bei diesem Anblick verging auch die letzte Angst vor diesem riesigen Tier. Nach einiger Zeit des Kraulens meinte José: »Leute, was genau bedeutet dies alles? Die Türe, der wunderschöne Weg, dann der Felsen mit dieser Höhle, die normalerweise weit weg von unserer Villa entfernt liegt, und dann der Drache, der so gross und mächtig geworden ist und uns trotzdem nichts tut?«

»Keine Ahnung, José, ich kann das auch noch nicht einschätzen. Aber vielleicht hat das, wie Jasmin sagte, etwas mit dem zu tun, das wir Toranius besiegen können. Wir müssen nun wieder nach draussen und uns dies alles einmal in Ruhe ansehen. Vielleicht kommt uns da ja eine Idee!«

Als alle aufstehen wollten, schaute der Drache sie an, als wollte er fragen: Wo geht ihr hin? Da sprach Nina zu ihm: »Wir gehen nur zum Eingang, Kleiner, komm mit!« Als hätte er sie verstanden, erhob er sich und trottete schwerfällig hinterher.

Draussen an der warmen Sonne sahen sie nun zum ersten Mal, dass der Weg, den sie gekommen waren, nicht wirklich in diese Umgebung passte und sie ihn damals nicht hatten sehen können. Das bedeutete, dass dies durch Zauberei geschah!

Der Drache blieb treu an Ninas Seite, was allerdings Fragen aufwarf.

»Das Mittagsschläfchen unserer Gäste wird wohl langsam vorbei sein. Wir sollten zurückgehen und ihnen erzählen, was wir herausgefunden haben!«

»Ja, Theo, das denke ich auch. Aber was wird aus dem Drachen?«, fragte Nina etwas traurig.

»Da brauchst du dir keine Gedanken zu machen. Es geht ihm gut und ich glaube, er versteht, was du sagst. Also sage ihm, dass wir jetzt gehen müssen und dass wir zu einem späteren Zeitpunkt wiederkommen werden.«

Nina schaute das Feuerwesen an und erklärte ihm alles. Dieses legte seinen Kopf wieder auf ihre Schulter zum Zeichen, dass er verstanden hatte. Dann verabschiedeten sie sich alle von ihm, gaben ihm noch die Süssigkeiten, die sie in den Hosentaschen bei sich hatten, und liefen dann winkend den Weg zurück. Die Türe, die nur durch eine kleine Treppe erreicht werden konnte, war in einen dicken grossen Baum eingearbeitet. Als sie dort wieder ankamen, war sie verschlossen. Kurz waren sie ratlos, doch dann lehnten sie sich wie auf der anderen Seite wieder dagegen und schon ging die Tür mit einem kurzen Klicken wieder auf. Sie schritten über die Schwelle, im gleichen Moment schnappte die Türe wieder zu und sie standen wieder im Keller der Villa.

Oben angelangt, schritten sie nach draussen in den Garten, wo schon die Herrscher und Mervin am Tisch unter dem riesigen Baum sassen und Saft tranken.

»Hallo, liebe Freunde. Wir haben euch schon vermisst. Wo wart ihr? Die Diener haben euch gesucht, aber nirgends finden können. Habt ihr uns etwas zu erzählen?« Fragend sah Nordri einen nach dem anderen an.

Ernst sah Oli ihn an: »Ja, tatsächlich. Viel Aufregendes haben wir euch zu berichten!« Dabei setzten sie sich an den Tisch und erzählten alles, was sie auf der anderen Seite der geheimnisvollen Tür erlebt hatten.

Als sie voller Erwartung schwiegen, druckste Mervin merkwürdig herum. Dann auf einmal meinte er: »Ich glaube, somit haben wir das Geheimnis um die verschlossene Türe gelüftet und einen Schlüssel gegen Toranius gefunden. Ich hatte schon so etwas geahnt, als ich beim ersten Spatenstich zum Bau der Villa laut dem Ahnenbuch meine Zauberkünste spielen liess! Wenn ihr mich aber nun fragt, warum, kann ich es euch beim besten Willen nicht beantworten, da ich es damals auch nicht wusste!«

Die Herrscher schauten ihn vorwurfsvoll an, bis Nordri mit hochgezogenen Augenbrauen das Wort ergriff: »Ach so, und wann wolltest du uns dies mitteilen, lieber Mervin?«

»Entschuldigt bitte, aber ich habe dies doch nicht mit Absicht getan. Als die Türe nicht aufgemacht werden konnte, habe ich angenommen, dass es nicht geklappt hat und ich etwas falsch gemacht hätte. Deshalb habe ich lieber geschwiegen. Ich wollte nicht zugeben, dass ich unfähig war! Bitte verzeiht meine Feigheit.« Schuldbewusst, aber nun doch etwas stolz, da es ja offensichtlich doch sein Gutes hatte, sah er die Herrscher mit einem Bitte-verzeih-mir-Blick an.

Diese konnten nicht mehr an sich halten und prusteten los. Alle lachten mit! Nun aber wollten die Anthopier den geheimnisvollen Weg sehen. Sie standen auf und folgten den Freunden zur Türe. Diese lehnten sich wie zuvor daran und sogleich öffnete sie sich. Die Herrscher und Mervin staunten nicht schlecht, als sie den wunderschönen Weg sahen.

»Öffnet sich diese auch, wenn nur einer oder zwei daran lehnen?«, wollte Serdri wissen.

Dies wurde sofort ausprobiert, aber nichts geschah. Es war das Gleiche wie bei dem Weg von der Erde in diese Welt: Es brauchte alle fünf!

Nun schloss sich die Türe wieder, alle stiegen die Treppe hoch und setzten sich draussen wieder an den Tisch. Dort war es einen Moment lang ganz ruhig. Jeder war in seine eigenen Gedanken vertieft.

Ordri begann: »Das ist wahrhaftig grosse Magie. Nochmals danke, lieber Mervin, für deinen vorausschauenden Zauber! Du hattest wieder mal den richtigen Riecher. Also besitzen wir vielleicht mit diesem geheimen Weg zum Drachen eine wahrhaft gute Möglichkeit, um Toranius für immer verschwinden zu lassen. Nun wollen wir daran gehen, einen Plan zu entwickeln, bei dem dann allerdings keine

Lücken oder Fehler passieren dürfen. Wir wissen alle, was auf dem Spiel steht: das Weiterbestehen des Guten in Anthopia! Deshalb schlage ich vor, dass Mervin uns zuerst seinen Plan offenbart, wie er versuchen will, Toranius doch noch zum richtigen Weg zu bekehren.«

Mervin erzählte nun allen Schritt für Schritt seinen Plan, wie er Toranius doch noch zur Umkehr überzeugen wollte. Alle hörten gebannt zu. Als er geendet hatte, meinte Nordri: »Mein lieber Mervin, wenn es einer schafft, dann du. Doch bei einer solch bösartigen Kreatur wird wohl sogar dein hervorragender Plan nicht fruchten, sodass wir nun eine Strategie zur Vernichtung des Bösen entwickeln müssen. Wir haben nicht mehr so viel Zeit und müssen uns etwas beeilen, wenn wir ihn aufhalten wollen.«

In den kommenden Stunden wurde hin und her überlegt, dieser und jener Vorschlag, der aber immer wieder Lücken enthielt, wieder verworfen. Als die Diener zum Nachtessen riefen, hatten sie immer noch nichts Brauchbares. Sie schritten hinein und assen schweigend. Als sie geendet hatten, standen sie auf und gingen zurück an den Tisch unter dem Baum.

Dort überlegten sie weiter und auf einmal hatten sie eine zündende Idee. Nun wurden noch die Einzelheiten besprochen, doch bald war es so spät, dass sich die Herrscher und Mervin verabschiedeten und eine gute Nacht wünschten.

»Dann sehen wir uns morgen beim Frühstück!« Damit waren sie durch die Eingangstüre verschwunden.

Der Plan

Am nächsten Morgen ging die Sonne mit einem Feuerzauber aus Farben auf und machte so allen gute Laune, den neuen Tag und seine Aufgaben anzugehen. Nach dem stärkenden Frühstück bat Mervin alle, in das Nebenzimmer zu kommen. Dort setzten sie sich um den grossen Tisch herum. An der Wand stand etwas Riesiges, über das eine grosse Decke gebreitet war. Als die Getränke auf dem Tisch standen und die Türe geschlossen war, fing Mervin an: »Als ich gestern Abend nach Hause kam, suchte ich noch lange in meinen Zauberbüchern nach dem Richtigen und wurde belohnt. Das Endprodukt möchte ich euch gerne hier vorstellen.« Damit nahm er die Decke weg und darunter kam ein grosser, wunderschöner Spiegel hervor. »Was sagt ihr dazu? Mit diesem Spiegel will ich versuchen, Toranius doch noch auf die richtige Bahn zu bringen. Er wird dabei Wahrheit und Lüge, Gut und Böse, Recht und Unrecht erkennen. Was denkt ihr, meine Lieben?«

Ordri stand im gleichen Moment wie Theo auf. Beide stellten sich vor den Spiegel, der allerdings nichts wiedergab. Also ging Ordri als Erster ganz nahe an diesen heran und fragte: »Bin ich Serdri?«

Der Spiegel wurde ganz düster und begann, starken dunklen Rauch zu entwickeln.

»Bin ich Ordri?«

Im gleichen Moment wurde es sehr hell, er sah sich selber im Spiegel und erkannte so die Wahrheit. Nun fragte er weiter: »Ist es richtig, dass Mervin ein schlechter und böser Magier ist? «

Im Spiegel gab ein ganz verzerrtes Bild wieder und fing erneut an zu rauchen.

»Ist es richtig, dass Mervin ein guter Magier ist?«

Sofort zeigte der Spiegel ein freundlich lächelndes Bild von Mervin.

»Wirklich und wahrhaftig ein gelungener und effektiver Spiegel, Mervin! Gratuliere zu dieser Meisterleistung. Du hast dich selbst übertroffen!«

»Danke, Ordri. Wie ihr seht, kann man den Spiegel nicht täuschen und somit wird Toranius sein wahres Ich erkennen und sicher einlenken!«

»Deine positive Einstellung in allen Ehren, aber bitte denke daran, dass er nun schon viele hundert Jahre als Zauberer im Bösen lebt und sicher schon oft die Möglichkeit gehabt hätte, umzulenken. Also bitte, Mervin, akzeptiere dann auch, wenn er nicht versteht und nicht einlenkt!«

»Ja sicher, Ordri, wenn dies so ist, werde oder besser gesagt muss ich es akzeptieren und nichts weiter mehr unternehmen.«

Die Freunde sahen von einem zum anderen und waren begeistert.

»Also, wie gehen wir nun genau vor?« Fragend sah José in die Runde.

Mervin räusperte sich und erwiderte: »Am besten fliegen wir zurück ins Lager. Dann werde ich Toranius an dem Platz im Wald, wo ihr ihn gesehen habt, aufsuchen und ihn mit dem Spiegel konfrontieren. Dabei hoffe ich, dass er einlenkt. Wenn nicht, seid ihr am Zug. Seid ihr damit einverstanden?«

José antwortete: »Ja, das wird das Beste sein. Dann packen wir heute noch das Notwendigste zusammen und werden morgen früh aufbrechen.«

Alle nickten.

»Ich werde Beno fragen, ob er morgen ganz früh mit seiner Pferdekutsche die Sachen und den Spiegel zu den Vögel bringen könnte!« meinte Serdri.

»Dann werden wir wohl mal packen gehen!« sagte José

»Genau«, antwortete Wurdri und so standen alle auf, um sich vorzubereiten.

Oben in ihren Zimmern sah Jasmin Theo an: »Was ich nicht verstehe: Wie werden wir dann unseren Plan ausführen können, wenn wir dazu die verschlossene Türe brauchen, aber doch im Lager sind?«

»Ja, du hast Recht, das müssen wir beim Mittagessen unbedingt noch fragen. Danke, meine beste und intelligenteste Schwester«, meinte Theo und war sichtlich stolz auf sie.

Jasmin sah ihn belustigt an: »Du hast ja nur eine, aber danke für dein Kompliment.« Dabei lachten beide, sprangen aufs Bett und eine wilde Kissenschlacht begann. Erst viel später wurde weiter gepackt.

Um die Mittagszeit herum versammelten sich alle im Garten, um das Essen einzunehmen. Die Herrscher sassen schon da und unterhielten sich angeregt. Als sich die Freunde zu ihnen setzten, fragte Serdri: »Habt Ihr alles gepackt? Noch irgendwelche Fragen?«

»Ja, wie können wir den Plan, den wir zusammen ausgearbeitet haben, durchführen, wenn wir im Lager sind und die geheime Türe hier ist?« fragte Jasmin.

Serdri sah sie an und antwortete: »Wir sprachen gerade darüber. Wenn Mervins Idee, Toranius zu bekehren, nicht funktioniert, wird es am besten sein, dass ich mit euch zurückfliege und wir hier unseren Plan B in die Tat umsetzen. Währenddessen versuchen die anderen, vom Lager aus Toranius hierher zu locken. Ist das für euch so in Ordnung?«

Die Freunde nickten und dann wurde das Mittagessen serviert. Alle assen ohne viel Appetit. Das Kommende schlug auf ihre Mägen, da alle eine Heidenangst vor diesem mächtigen Schwarzmagier Toranius hatten!

Als sie nach einem ruhigen Flug im Lager ankamen, war es bereits Nachmittag. Die Sonne stach heiss vom Himmel herab.

José drehte unauffällig eine kleine Runde mit seinem Vogel, um zu prüfen, ob Toranius auch wirklich noch in seinem Lager war, und konnte dies dann bestätigen.

Alle waren froh, dass sie beim letzten Mal die Zelte stehengelassen hatten. Zuerst bekamen die Tiere wieder zu essen und zu trinken. Danach erhoben sich diese in die Lüfte und flogen zu ihrem etwas oberhalb liegenden Felsen.

Nun sass die kleine Streitmacht unter dem Baum, trank kühles Wasser und frische Säfte und erholte sich von der kurzen Reise.

»Toranius ist also immer noch dort! So werde ich morgen in der Früh mit dem Spiegel zu ihm gehen und ihn mit sich selber konfrontieren. So werden wir weitersehen und ansonsten das Nötige veranlassen. Was ich euch nun noch sagen möchte, muss wirklich unter uns bleiben. Ich habe mir ja schon des Öfteren Gedanken darüber gemacht, woher Toranius damals, als wir noch Kinder waren, einfach so gekommen war. Da ja laut unserem Ahnenbuch schon wieder Ihr jungen Menschen diejenigen seid, die dem Spuk ein Ende bereiten könnt, ist der Gedanke, dass Toranius aus eurer Welt stammt, nicht sehr weit hergeholt. Wie sonst wäre es zu erklären, dass ihr wiederkommen musstet?« Dabei glitt sein Blick über die Anwesenden. »Also bin ich alldem mit einer speziellen Zaubermethode nachgegangen und habe dabei tatsächlich herausgefunden, dass er in eurer Welt in Kinderheimen aufwuchs und schon immer einen Hang zum Quälen hatte. Er wurde deshalb von einem Heim zum nächsten geschickt, da die Leiter und auch die anderen Kinder nicht mit ihm klarkamen. Doch plötzlich verliert sich die Suche! Niemand hatte mehr etwas von ihm gesehen noch gehört, sodass ihn die Gemeinde, in der er zuletzt war, fünf Jahre später für tot erklärte und man annahm, dass er entführt und getötet worden war. In Wirklichkeit aber schaffte er es, mit einem ganz speziellen Zauber hierher zu kommen und mit einer neuen Identität bei uns ein neues Leben zu beginnen.«

Als er mit seiner Geschichte geendet hatte, sahen ihn zehn fragende Augenpaare erschrocken an. »Aber Mervin, einen solchen

Menschen möchten wir auch bei uns auf der Erde nicht haben. Also ist es keine Option, ihn wieder dorthin zurückzuschicken!«, rief Nina entsetzt.

»Nein nein, sicher nicht. Dies würde doch auch nichts bringen, denn er würde über kurz oder lang wieder hier sein!«

»Wie kommst du darauf?«, wollte nun Wurdri wissen.

»Simon hat ihn ja auf der Erdenwelt kennengelernt. Also kann er wohl mit einer speziellen Zauberei hin und her switchen.«

»Ja klar, dass ich nicht selber darauf gekommen bin! Zum Glück haben wir unseren Mervin, der uns immer mit Gedankenstützen hilft.« Wurdri sah bewundernd zu ihm hin.

Sie sassen noch kurze Zeit beisammen, um dann früh schlafen zu gehen.

Am nächsten Morgen, die Sonne war noch nicht aufgegangen, war Mervin schon unterwegs zu Toranius. Es war für ihn ein ganz befremdliches, komisches und eigenartiges Gefühl, zu wissen, dass er dem Manne in Kürze gegenübertreten würde, der ihn abgrundtief hasste. Als er in den Wald kam, in dem

Toranius mit den Leuten aus dem anderen Dorf weilte, sah er von Weitem das Feuer noch ganz schwach glimmen. Plötzlich hatte er wirklich und wahrhaftig Angst.

Also lehnte er sich einen Moment an einen Baum, nahm seinen ganzen Mut zusammen und würgte seine Panik hinunter. Dann atmete er dreimal tief ein und aus und ging das kurze Stück bis zum Lager mit schnellen Schritten. Dort angekommen, sah er gerade Toranius aus einer der Hütten kommen und rief ohne zu überlegen: »Toranius! Hier ist Mervin. Ich bin alleine und bitte dich zu mir zu kommen, damit ich dir etwas zeigen kann.« Dieses Rufen hatte ihn so viel Kraft gekostet, dass er zu zittern begann.

Toranius blieb erstaunt stehen, drehte sich um und sah direkt zu ihm hin. Sein Gesicht mit den eiskalten Augen, den buschigen Augenbrauen, die in der Mitte zusammengewachsen waren, und sein böses Grinsen auf dem Gesicht wurden zu einer gefährlichen Maske, als er langsam auf Mervin zukam.

»Was zum Teufel willst du hier, du elender Bastard?« Als er ihn erreichte, hielt er inne, sah den Spiegel und lachte höhnisch auf: »Ha ha, was soll das, Mervin? Willst du mich wegzaubern? Das ist ja lächerlich. Du weisst genau, dass die schwarze Magie viel stärker ist und du keine Chance dagegen hast!«

»Guten Tag, Toranius, lange nicht mehr gesehen. Nein, ich möchte versuchen, dich mit diesem Spiegel zur Vernunft zu bringen und dir vor Augen zu halten, dass du den falschen Weg eingeschlagen hast. Wie ist es dir in der Zwischenzeit ergangen?«

Toranius sah ihn zuerst ungläubig, dann aber mit einer ausdruckslosen Fratze an und zischte: »Was in aller Welt hast du damals und auch heute nicht verstanden? Ich will dich und deine ganze Sippschaft vernichten! Eure Liebe, euer Verständnis für alles und jeden, eure Hilfsbereitschaft und euer Heucheln kann ich nicht mehr ausstehen. Ich bin auf der richtigen Seite. Hatte viele Jahre Zeit, dies zu entscheiden. Also nimm deinen Spiegel und verschwinde, bevor ich mich vergesse!« Dabei kehrte er um und ging, so schnell es ihm möglich war, in gebückter Haltung wieder ins Dorf zurück.

Mervin, der nun am ganzen Körper zitterte, begriff, dass Toranius in den vergangenen

Jahren noch viel mehr böse Energie dazu gewonnen hatte. Es würde sehr schwer, gegen ihn zu gewinnen.

Er nahm den Spiegel und ging den gleichen Weg zurück, den er gekommen war. Sein Herz tat ihm weh und sein Atem ging kurz. Als er schon fast im Lager war, setzte er sich auf einen Stein, um sich einigermassen zu sammeln und seine Gefühle unter Kontrolle zu bringen. Die anderen dürfen meine Angst nicht bemerken oder sehen, ansonsten haben wir gar keine Chance, dachte er. Nun versuchte er durch einen Zauber, ein gleichgültiges Gesicht aufzusetzen, was ihm auch wirklich gelang, sodass er ins Lager zurückkehren konnte.

Als er dort angekommen war, brachte Jasmin ihm Wasser zum Waschen und zum Trinken. Da es immer noch sehr früh war und die anderen gerade am Frühstücken waren, setzte er sich dazu. Der Kaffee tat gut und dabei beruhigte er sich langsam ganz ohne Zauberei wieder. Seine Gesichtszüge glätteten sich und er bemerkte, wie müde er von dem Erlebten geworden war. Doch die anderen hatten ein Recht zu erfahren, was geschehen war.

»Mervin, was ist passiert? Warum bist du so früh wieder zurück? War Toranius gar nicht da?«, sprudelten alle durcheinander.

»Langsam, langsam, doch, ja, ich war da. Toranius auch.« Und dann erzählte er, wie es gelaufen war. Alles, ausser wie er sich dabei gefühlt und wie viel Angst er hatte. Als er mit seiner Erzählung endete, meinte Serdri: »Damit mussten wir ja rechnen. Jetzt haben wir keine andere Wahl mehr als ihn zu vernichten!«, stand auf und lief ruhelos auf und ab.

Die anderen schauten ihm zu und verhielten sich ganz ruhig. Irgendwie hatten sie trotz allem gehofft, dass der Plan mit dem Spiegel klappen könnte und alles gut werden würde. Doch nun gab es kein Zurück mehr, ihre zweite Strategie musste umgesetzt werden. Dazu mussten die Freunde zurück zu Villa.

Alle waren so in ihre Gedanken versunken, dass sie aufschreckten, als plötzlich Mervin ganz aufgeregt rief: »Das ist die Idee! Wir werden nun den Spiegel zu seiner Vernichtung einsetzen!« Und schon erzählte er, wie er sich das vorstellte. Die anderen staunten nicht schlecht, als ihnen mehr und mehr klar wurde, dass dieser Plan noch besser war als der vorherige.

Serdri setzte sich nun wieder ruhig hin und es wurde aufgeregt hin und her diskutiert.

Die List

Nun war der Tag gekommen, an dem sie Toranius eine Falle stellen mussten. Alle waren sehr nervös. Die Emotionen schwappten über. Mervin und die Freunde waren bereits zur Villa zurückgeflogen und mussten nun auf ein Zeichen der Herrscher warten.

Diese hatten unterdessen Toranius aufgesucht und ihn mit hinterlistigen Überzeugungskünsten dazu gebracht, mit ihnen zur Villa zu kommen, da dort bei einem merkwürdigen Weg etwas nicht mit rechten Dingen zuginge.

Zuerst hatte Toranius sie ausgelacht, doch als sie von grossen Schätzen und eigenartigen Gestalten berichteten, wurde er neugierig und man konnte die Gier in seinen Augen erkennen. Es brauchte nicht viel Überredungskunst und Lügen, damit er sich einverstanden erklärte, mitzukommen und sich dies vor Ort anzusehen. Wie vor ihm schon Simon, war er so von seiner Macht überzeugt, dass es ihm gar nicht in den Sinn kam, dass dies eine Falle sein könnte. Auch war er seines Sieges, in diesem Land zu herrschen, so sicher, dass er keinen Argwohn schöpfte. Ihm gefiel wohl sehr, dass sie immer wieder betonten, dass Mervin sie enttäuscht und dieses »Geisterproblem« nicht gelöst hätte. Nun würde Toranius beweisen können, der Beste zu sein! Bei diesem Gedanken wurde sein Gesichtsausdruck noch hämisch und siegessicher.

Auch wenn dies den Herrschern Angst einflösste, verabredeten sie sich mit ihm für den nächsten Tag um die Mittagszeit. Sie würden ihn mit ihren Reitvögel abholen. Da er sich wohl schon als reichen Mann sah – denn die Schätze, von denen die Herrscher erzählt hatten, würde er sich natürlich sofort schnappen! –, ging er ohne Widerrede darauf ein. Dabei hatte er einen Ausdruck im Gesicht, der den Herrschern deutlich zeigte, dass er sie für totale Blödmänner hielt. Doch die vier hatten keine Zeit, sich darüber grosse Gedanken zu machen, da sie noch viel vor sich hatten. Deshalb verabschiedeten sie sich bald von ihm und gingen so schnell sie konnten zum Lager zurück.

Dort angekommen, flog Wurdri auf dem schnellsten Wege zur Villa, um zu berichten, dass sie morgen Nachmittag mit Toranius hierher kommen würden. Also müssten so schnell wie möglich Schätze aus Gold und Silber beschafft werden und die Freunde sich als komische Gestalten kostümieren. Da Toranius nicht merken durfte, dass einer der Herrscher das Lager beim Wald verlassen hatte, flog er kurzerhand wieder zurück, ohne zu wissen, ob das am nächsten Tag wirklich klappen würde.

Unterdessen beratschlagten die Freunde zusammen mit Mervin, wie sie dies alles veranlassen konnten. Dieser wusste nur eine Möglichkeit: durch Zauberei.

»Da ja der Weg nur eine Illusion ist und dieser in Wahrheit nicht besteht, kann auch nichts wirklich Echtes darin versteckt werden. Auch die Gestalten könnt nicht ihr sein, sondern müssen auch Illusion bleiben.«

Oli sah ihn an, als ob er übergeschnappt wäre: »Mervin, wie willst du das denn veranlassen?«

»Mit meiner Zauberei natürlich. Ich werde mich nun ins Zimmer nebenan zurückziehen und das Nötige tun. Ich bitte euch, von jetzt an die geheime Türe nicht mehr zu öffnen.«

Bevor er sich aber zurückziehen konnte, zupfte ihn Nina am Ärmel und fragte ganz aufgeregt: »Aber der Drache ist doch noch da?«

»Beruhige dich, Nina. Ich habe euch ja gerade erklärt, dass der Weg nur durch Zauberei entstand und nicht echt ist. Da aber der Felsen mit dem Feuertier echt ist, geschieht ihm nichts! Man braucht euch, um den Weg zu sehen und zu begehen, ansonsten ist derjenige oder diejenige nur in einem dunklen Nichts! Das ist die Zauberillusion. Also mach dir gar keine Gedanken. Dem Drachen droht keine Gefahr, denn auch er sieht den Weg nur, wenn ihr mit ihm dort seid.«

»Danke, Mervin. Nun bin ich wirklich sehr erleichtert. Jetzt möchte ich dich nicht länger aufhalten. Ich wünsche dir Glück und Erfolg. Denn Glück brauchen wir wohl alle wirklich sehr viel, wenn das alles gut ausgehen soll!«

Mervin sah sie an, legte seine Hand auf ihren Arm und nickte ihr aufmunternd zu. Dann verschwand er ins Nebenzimmer.

Die fünf gingen zusammen in den Garten und setzten sich unter den Baum, dort begann Theo:

»Ich habe wirklich echt grosse Angst vor dem Zusammentreffen. Dass wir Fehler machen und etwas schiefläuft. Und wir wissen ja, dass gar nichts schieflaufen darf. Morgen ist der Tag der Entscheidung und unser Gegner ist ein echter Schwarzmagier, der auch ohne Zauberstab mächtig ist. Also muss alles genau wie besprochen klappen.«

»Ja, wir haben nur eine einzige Chance und das ist diese Türe. Ansonsten sind wir ihm alle ausgeliefert.« dabei sah Oli etwas unsicher drein.

»Wenn wir es aber nicht schaffen, ihn durch die Türe gehen zu lassen, was dann?« Ängstlich schaute Jasmin in die Runde.

»Dann haben wir noch den Spiegel, aber das überlasst bitte mir.« Mervin stand auf der Terrasse und kam auf sie zu. »Es ist alles bereit. Der Schatz mit Gold und Silber liegt hinter dem dritten Baum, der jedoch durch einen Spiegel von der Türe aus zu sehen ist. Die Gestalten werden sich auch so verhalten, dass sie von Toranius bemerkt werden. Also alles in bester Ordnung!«

»Was meinst du mit ›wir haben noch den Spiegel und wir sollen es dir überlassen‹?« fragend sah Nina zu Mervin hin.

»So, wie ich es sage. Ich habe ihn nun mit einem neuen Zauber belegt. Aber mehr möchte ich nicht verraten. Da wir ja davon ausgehen, dass unser Plan aufgeht, werden wir nichts anderes diskutieren. Denn die andere Variante müsste sowieso ich alleine übernehmen! Also bitte ich euch, euch nicht zu viele Gedanken zu machen und alles auf uns zukommen zu lassen. Denn je mehr wir uns sorgen, desto mehr Fehler machen wir. Wir haben einen sehr guten, durchdachten Plan entwickelt und verlassen uns auch darauf, dass dieser klappen wird. Die erste Hürde haben die Herrscher ja schon geschafft. Toranius kommt! Also warten wir den morgigen Tag ab und versuchen heute noch etwas zu relaxen.«

In diesem Augenblick rief Bahr zum Essen. Also standen alle auf und schritten ins Wohnzimmer. Dort setzten sie sich an den Tisch und nahmen schweigend das wie immer leckere Mittagessen ein. Den Nachmittag verbrachten sie alle mit Baden und an der Sonne Liegen und gingen früh zu Bett.

Kurz nach dem Frühstück des nächsten Tages war die Nervosität so gross, dass alle wie in einem Bienenstock umherschwirrten, belanglose Dinge von hier nach da brachten und dabei überhaupt nicht wussten, was sie eigentlich taten.

Als es dann endlich an der Türe läutete, waren sie kurz davor zu explodieren. Mervin versteckte sich! Als Bahr die Herrscher mit Toranius in den Garten brachte, versuchten die Freunde, sich so normal und locker wie möglich zu verhalten. Das Wiedersehen war von eiskalter Höflichkeit.

Schließlich wurde Toranius ungeduldig: »Wo ist nun diese Türe, die die sagenhaften Schätze verbirgt?«

Oli nahm all seine innere Kraft zusammen, drückte seine Angst hinunter und sprach zu ihm: »Toranius, der Schatz ist nicht unbedingt das, was uns beunruhigt, sondern die eigenartigen Gestalten, die überall lauern. Wir hätten erwartet, dass Mervin als mächtigster Zauberer des Landes herausfinden würde, woher diese kommen, und sie danach eliminieren könnte. Doch er hat versagt. Deshalb hatten wir die Idee, dich zu befragen, da wir den Eindruck gewannen, dass du der Richtige dafür seist. Wärest du so freundlich, uns zu helfen?«

Hämisch sah Toranius alle der Reihe nach an und erwiderte herrisch: »Freundlich? Freundlich mache ich gar nichts. Ich werde diese Gestalten ohne Wenn und Aber vernichten. Zeige mir nun, wo das ist!«

Die fünf gingen voraus in die Villa und dort in den Keller. Toranius folgte ihnen. Die Herrscher blieben zurück.

Als sie mit Toranius vor der Türe angekommen waren, lehnten sie sich daran, damit sie sich sogleich öffnete. Der Schwarzmagier machte grosse Augen und sah verständnislos von ihnen zum Weg und wieder zurück. Dann, ohne sich etwas anmerken zu lassen ausser den Augen, die zu schmalen Schlitzen wurden, hatte er wohl den Schatz, der durch die Bäume hindurch glitzerte und glänzte, entdeckt. Er wollte gerade einen Schritt darauf zugehen, als er eine der fürchterlichen Gruselgestalten entdeckte, die in wie Nebel wabernden Gewändern aus Totentüchern, statt der Augen, tiefe, bodenlose Höhlen, Skeletthände und einem geisterhaften Kichern, wahrnahm und augenblicklich stehen blieb. In seinem Gesicht arbeitete es und man sah, dass er sich in Gedanken ausmalte, was er nun tun sollte.

Als er nun so verharrte, hatten die Freunde schon die Befürchtung, dass er es sich anders überlegt hätte und ihn der Schatz wenig interessierte. Doch plötzlich ging er ganz schnell durch die Türe, die Treppe am Baum hinunter und in den Weg hinein. Wie es ihr Plan vorsah, würden sie nun ganz schnell von aussen die Türe schliessen.

Doch das klappte nicht!

Als Toranius durch die Türe hindurchgegangen war und die Freunde angenommen hatten, dass sich diese dann sofort schließen würde, blieb sie offen!

Trotz vieler Versuche, sie zuzubekommen, bewegte sie sich nicht einen Zentimeter. Schweissperlen standen den fünf auf den Stirnen. Verständnislos sahen sie sich an. Plötzlich tauchte Mervin so hinter ihnen auf, dass Toranius ihn nicht sehen konnte, und flüsterte: »Er hat einen Schutzzauber aktiviert, ob er das einfach immer macht oder ob er unsere List durchschaut hat, weiss ich nicht. Ihr müsst nun auch mit hinein, damit sich die Türe

114

schliesst. Ich werde dann die Türe auf dieser Seite für immer durch einen endgültigen Zauber versiegeln. Daraufhin werde ich euch von der anderen Seite, die aber Toranius nicht sehen kann, wieder herausholen. Was ihr tun müsst, ist, ihn so lange hinzuhalten, bis ich euch ein Zeichen gebe. Dann muss aber alles sehr schnell gehen. Ich wünsche euch viel Glück und Kraft.«

Nun sahen sie, dass Toranius fast beim Schatz war, und mussten daher schnellstens durch die Türe. Sofort schloss sich diese hinter ihnen und ging auch durch Anlehnen nicht mehr auf. Den Freunden wurde es ganz eigenartig zumute. Was machten sie, wenn Mervin sie nicht holen kam? Doch José meinte mit fester Stimme: »Wir brauchen keine Angst zu haben.«

Toranius war unterdessen beim Schatz angekommen. Dort standen ihm drei grosse, noch gruseliger und geisterhafte wirkenden Gestalten, mit fürchterlichen Skeletthänden und blutunterlaufenen Augen gegenüber. Die wabernden Gewänder aus Totentüchern und ihr schreckliches Gekicher dazu ihre fahrigen Bewegungen waren einfach grauenvoll. Aber das Schlimmste war der Gestank, der von ihnen ausging. Dieser war undefinierbar, widerlich, leichenhaft! Doch Toranius schien ihn gar nicht zu bemerken! Für ihn existierte nur der Schatz und seine Gier war übermächtig, er ging zielstrebig auf das verführerische Glitzern zu.

Die Freunde sahen derweilen immer wieder zum Ende des Weges. Dort, wo dahinter der Felsen mit dem Drachen lag. Sie überlegten fieberhaft, ob sie dorthin rennen sollten. Doch Mervin hatte ausdrücklich gesagt, dass er kommen würde. Ausserdem wäre wohl ein Zauber von Toranius schneller als ihre Beine. Deshalb hielten sie sich zurück und sahen Toranius zu, wie er das vermeintliche Gold stehlen würde.

Die gruseligen Gestalten wollten das nicht zulassen und machten den Eindruck, als würden sie den Schatz mitnehmen. Toranius wendete daher einen Zauber an, bei dem die drei zurückgeschossen wurden, als wäre durch sie eine volle Ladung Strom gerast. Der Schwarzmagier lachte höhnisch auf und rief voller Zorn: »Das ist mein, lasst eure schmutzigen Krallen weg davon, ansonsten muss ich euch zerstören!«

Wie aus dem Nichts erschienen jedoch plötzlich vierzig, fünfzig dieser Gestalten, die hinter Bäumen und Sträuchern hervorkamen. Sie fauchten und brüllten Toranius an. Zuerst ging er ein paar Schritte rückwärts, bis er sich gefangen hatte und erneut schrie: »Lasst den Schatz in Ruhe! Der gehört mir! Wenn einer mir oder dem Schatz zu nahe kommt, zaubere ich ihn hinweg!«

Die grausigen Geisterwesen schauten ihn misstrauisch an, kamen aber trotzdem immer näher. Toranius packte den Schatz und schritt langsam rückwärts, dabei zischte er die Freunde an: »Los, macht schon, wir müssen hier weg! Ihr müsst die Türe öffnen, damit wir hinausgelangen können!«

»Aber Toranius, du musst doch diese Kreaturen eliminieren, sonst werden wir nie zur Ruhe kommen«, flehte Nina ihn an.

Doch der Schwarzmagier drehte sich nur halb zu ihr um, grinste sie mit blitzenden, dunklen, bösen Augen an und brüllte: »Ihr Narren! Meint ihr, ich sei zu euch gekommen, um zu helfen? Seid ihr wirklich so blöd, dies zu glauben? Nein, ich kam nur des Schatzes wegen

und ihr könnt von mir aus verrecken. Und nun
öffnet diese verdammte Türe!«

Die Freunde bekamen nun wirklich grosse
Angst. Sein Gesichtsausdruck verhiess nichts
Gutes. Wo um alles in der Welt blieb Mervin?
Toranius kam ihnen immer näher und funkelte
sie wild drohend an! Wer weiß, was er mit
ihnen machen würde!

Als sie schon fast bei der Türe angekommen
waren, sahen sie endlich Mervin am anderen
Ende des Weges mit dem Spiegel stehen. Er
winkte ihnen zu und verschwand dann hinter
den Bäumen, sodass Toranius ihn nicht
erkennen konnte. Wie aber sollten sie dies nun
wieder anstellen? Also gingen sie zuerst zur
Türe und schauspielerten, um Toranius zu
zeigen, dass diese sich nicht öffnen liess. Er
aber wurde wütend und versuchte es selber,
zuerst mit seiner Körperkraft und dann mit
seiner Zauberei die Türe zu öffnen, doch es
passierte einfach nichts. Dies machte ihn nur
noch wütender und er brüllte: »Was machen
wir denn nun? Der Schatz ist schwer und ich
will den nicht mehr lange schleppen!«

»Ich glaube, wir haben keine andere
Möglichkeit, als den Weg entlangzugehen und

dort, wo er endet, zu versuchen, wieder herauszukommen«, meinte Oli mutig.

Toranius kam scheinbar zu demselben Schluss und liess die Freunde vorausgehen, behielt dabei aber immer die Gruselgestalten im Blick. Die fünf gingen mit grossen Schritten den Weg entlang. Toranius konnte nicht so schnell sein, da der Schatz schwer war und er ihn nicht aus den Händen geben wollte, und da er auch sonst gebückt ging, gewannen die Freunde einen recht grossen Abstand. Als sie schon fast am Ende des Weges angelangt waren, spürte jedoch Toranius wohl, dass hier etwas nicht stimmte, und zog sie mit einem Zauber zu sich zurück.

»Nicht so schnell, ihr Dummköpfe, nicht dass ihr mir noch entwischt!«

Die Gestalten kamen jedoch auch immer näher und Toranius hatte alle Hände voll zu tun, gegen so viele immer wieder zu zaubern und ihnen Stromstösse zu versetzen. Dabei war er dann doch ein wenig unachtsam, daher konnten die fünf ganz schnell fast bis zu Mervin gelangen. In letzter Sekunde bemerkte Toranius das, allerdings ohne Mervin zu sehen, und rief: »Euch brauche ich jetzt eh nicht mehr, sodass ich euch ruhig vernichten kann!«

Gerade als er den Zauberstab auf sie richtete, liessen die fünf jedoch ihre Zauberwörter erklingen, küssten ihre Ringe und eine unsichtbare Schutzwand bildete sich zwischen ihnen und dem Bösen. Nur leider für nicht lange! Denn für einen Beherrscher der schwarzen Magie war dies kein Problem – eine kleine Bewegung des dunklen Zauberstabs, und schon war die Wand eingebrochen.

Nun ging es um Sekunden. Die fünf liefen, so schnell sie konnten, und sahen aus den Augenwinkeln, wie Mervin hinter einem Baum hervortrat. Er hielt den Spiegel auf Toranius gerichtet, sodass die Strahlen der Sonne umgelenkt wurden und blitzschnell Toranius erreichten. Und nun passierte das Unglaubliche: Der böse Magier und der Schatz und die Geistergestalten verschwanden in einem grausilbernen, sich wie ein Tornado drehenden Nebel und wurden mit einem fürchterlichen Donnergrollen in den Spiegel gezogen! Man hörte noch die Flüche und Verwünschungen des Toranius, die zuerst noch beeindruckend und furchterregend klangen, dann aber immer mehr an jaulende Hunde erinnerten und schließlich in einem sirrenden, lächerlichen Gepiepse endeten.

Dann war alles still.

Totenstill!

Mervin warf den Spiegel auf den Weg. Es klirrte und schepperte, der Spiegel zerbrach mit einem Funkenregen in eine Million winzigster, diamantener Teile, dann verlosch diese sagenhafte Helligkeit und nichts war mehr zu sehen als die Gegend um den Felsen, den sie damals angeflogen hatten. Sie rieben sich die Augen, um sicher zu sein, dass sie nicht träumten. Doch alles war immer noch so, als sie wieder genauer hinschauten.

Mervin kam zu ihnen gerannt, so gut es seine nicht mehr jungen Beine schafften, und fragte beunruhigt: »Geht es euch gut? Seid ihr alle unverletzt?«

»Ja, alles o.k., aber was ist geschehen? Warum hat unser Plan nicht so funktioniert, wie wir uns ihn ausgedacht haben? Wie konnte Toranius sich so lange halten?«, tönte es um Mervin herum von allen Seiten.

»Es ist leider ein wenig aus dem Ruder gelaufen, denn die dunkle Magie ist so, dass man sich auf alles gefasst machen muss. Dieses Mal hatte ich vergessen, wie hinterlistig so ein böser Zauberer wirklich sein kann. Ich habe mich schon wieder blenden lassen, da ich ihn ja in unserer Jugend so sehr gemocht hatte. Zum Glück hatte ich ja geplant, dass er nur den Schatz will, aber nicht damit gerechnet, dass er euch fünf sofort vernichten wollte. Als sich die Türe nicht mehr schloss, wusste ich, dass er seinen Stab dabei hatte und etwas Böses im Schilde führte. Wie ich euch ja erzählte, hatte ich gestern den magischen Spiegel noch so verzaubert, dass er jeden in sich aufnimmt, der in seine Richtung läuft, wenn nur die Strahlen der Sonne auch den Spiegel treffen. So konnte ich ihn nun gefangen nehmen und ins Niemandsland schicken. Denn töten konnte ich ihn nicht.« Dabei schaute er sie ganz traurig an.

„Aber so kann er ja noch Böses tun?«, fragte Jasmin ganz besorgt.

»Ja, eigentlich schon, aber nur im Niemandsland hinter dem Spiegel, der ja nun zerstört ist, und nur mit den ach so netten Gestalten und seinem Schatz. Ansonsten kann er niemandem mehr Schaden zufügen – obwohl – es können dort noch andere üble Kerle ihr Unwesen treiben. Doch darüber wollen wir nun nicht nachdenken.«

Die fünf schauten ihn verwundert an und Oli fragte: »Und wir, was ist nun mit uns? Wir sind hier und viele Kilometer von der Villa entfernt. Wie kommen wir nun zurück, da ja der Weg auch nicht mehr existiert?«

»Ja, da alles sehr schnell gehen musste, konnte ich nichts mehr organisieren. Aber euer Freund, der Drache«, dabei zeigte er hinter sie, »hat sich angeboten, euch nach Hause zu fliegen.«

Alle sahen sich um und Nina war so glücklich, ihren Drachen zu sehen, dass sie spontan auf ihn zulief und ihn umarmte. »Hallo Kleiner, ich bin so froh, dass es dir gut geht!«

Der Feuerspeier rieb seinen Kopf an ihrem Körper.

»Ja, er wird euch nach Hause retour bringen. Ich habe hier noch etwas zu tun und werde dann nachkommen und euch alles in Ruhe erzählen.«

Theo sah an dem grossen Tier empor und meinte zweifelnd: »Muss dass wirklich sein, dass wir auf einem Drachen fliegen müssen?«

»Hast du Angst? Das brauchst du nicht, denn er ist ganz lieb und wird uns nichts tun«, war sich Nina sicher.

Wie wenn der Drache es verstanden hätte, beugte er seinen Kopf ganz nah zu Theo herunter, um ihm zu zeigen, dass er ganz zutraulich war. Der Junge kraulte das Feuertier am Kopf, lachte dann und sprach: »Ich habe verstanden. Also denn mal los!«

Als alle oben sassen, winkte ihnen Mervin zu und rief: »Ihr werdet schnell sein. Drachen fliegen flott! Wir sehen uns dann, bis bald!«

Und schon hob sich der mächtige Flugkünstler vom Boden ab und flog so schnell es ging die fünf nach Hause zurück.

Sie waren wohl eingeschlafen, und als sie wach wurden und die Augen aufschlugen, waren sie wieder bei der Villa. Die Diener kamen aufgeregt heraus gelaufen und wollten wegen des riesigen Flugtiers schon um Hilfe schreien, als José ihnen zurief: »Bitte, keine Aufregung, der tut nichts. Das ist unser Freund! Alles in Ordnung!«

Also blieben diese abrupt stehen und sahen ungläubig auf den Drachen. Dann aber brachten sie ihm zu essen und zu trinken. Die Freunde dankten dem lieben Feuerspeier und umarmten ihn, bevor er wieder zu seinem Felsen zurückflog.

Nun schritten sie durch das Gebäude in den Garten. Doch bevor sie sich hinsetzen konnten, stürzten die Herrscher aufgeregt auf sie zu, umarmten sie und sprudelten durcheinander: »Geht es euch gut? Seid ihr unverletzt? Hat alles geklappt? Wo ist Mervin?«

So aufgeregt, wie die vier waren, brauchten die Freunde lang, um sie endlich etwas zu beruhigen. Also setzten sie sich alle unter den Baum, liessen sich kalte Getränke bringen und dann antwortete Theo auf all die Fragen: »Ja, uns geht es gut, danke. Wir sind alle unverletzt, auch Mervin. Es ging nicht ganz nach Plan, aber dank des voraussehenden Mervin ist doch noch alles gut gegangen. Er muss noch etwas erledigen und wird später zu uns stossen, um uns alles zu erzählen.«

»Was ist denn nun wirklich geschehen? Bitte erzählt uns alles!«, bat Wurdri nun.

Also berichtete Oli der Reihe nach . Als er geendet hatte, sahen die Herrscher ihn an und Serdri meinte tief ergriffen: »Danke für alles!«

»Wir haben ja gar nicht viel gemacht. Ohne Mervin wäre unser Plan völlig schiefgelaufen. Und was dann passiert wäre, kann ich nicht wirklich einordnen. Oder besser gesagt, ich will es gar nicht wissen.«

Bewegt sprach Ordri: »Ja, trotzdem habt ihr euch für unser Land in grosse Gefahr gebracht. Mervin konnte Toranius wohl am besten von uns allen einschätzen, da er lange mit ihm zusammen war, aber ohne eure Ablenkungsmanöver hätte er es sicher nicht geschafft.«

In der Zwischenzeit war es Mittag geworden, also waren sie ungefähr eineinhalb Tage unterwegs gewesen. Erst als Bahr zu Tisch bat, bemerkten sie, wie hungrig sie waren, und langten gierig zu. Als sie satt waren, wollten die Herrscher ihren Mittagsschlaf halten. Die Freunde gingen nach oben und zogen ihre Badesachen an, um im Pool schwimmen zu gehen. Denn geschlafen hatten sie ja jetzt wirklich lange genug.

Als sie einige Runden geschwommen waren, legten sie sich auf die Liegen und dösten so vor sich hin. Auf einmal sagte Nina in die Stille hinein: »Wie geht es wohl Mervin? Ich hoffe, dass alles gut wird!«

»Ja, das hoffen wir alle. Das war echt in letzter Sekunde. Was wohl passiert wäre, wenn Mervin den Spiegel nicht dabeigehabt hätte, möchte ich mir gar nicht ausmalen. Das Wichtigste ist, dass wir alle in Sicherheit sind und wir dann wenn Mervin wieder bei uns ist, hoffentlich zurücklehnen und entspannen können. Hoffen wir einfach, dass er alles so erledigen kann, wie er es sich vorstellt. Wir können nur hier sitzen und abwarten.« Etwas traurig sagte dies Theo.

Genau in diesem Augenblick kamen die Herrscher auch in den Garten und setzten sich unter den Baum. Kurz darauf wurde der aufgeregte Beno von Artschip angemeldet. Bevor noch jemand etwas sagen konnte, stürmte dieser in den Garten. Er war völlig ausser Atem und brauchte eine kurze Zeit, bis er sich gefangen hatte, um zu erzählen: »Entschuldigt bitte mein stürmisches Auftreten. Aber ich muss euch einfach unbedingt sofort etwas erzählen.«

Er war so ausser Atem, dass er nochmals tief Luft holen musste. Gleichzeitig sprach Serdri mit ganz beruhigender Stimme: »Entspann dich, Beno. Was ist denn passiert, erzähle!«

»Ja, ich kann es gar nicht glauben, aber es ist wahr. Alle Menschen aus dem Dorf Wanda, wo so viele verschwunden waren, sind ganz plötzlich wieder aufgetaucht. Auch Kimo, der Mann aus Vella, ist wiedergekommen. Aber niemand konnte erzählen, wo sie gewesen waren. Sie wussten es nicht.«

»Wie ist denn so etwas möglich?«, fragte nun Theo.

»Das weiß keiner. Wir wissen nur, dass alle gesund wieder da sind und keine Ahnung davon haben, wo sie waren!«

»Vielleicht ist das auch gut so. Denn wenn sie sich daran erinnern könnten, wäre es schwer für sie, damit zurechtzukommen, dass sie dem durchaus bösesten Zauberer geholfen haben. Auch wenn nur unter dessen magischem Einfluss. Doch wissen wir nun, dass dieser nur bei denen wirkt, die manipulierbar sind. Und dass es so viele aus einem Dorf waren, gibt uns doch zu denken. Wir werden nun vermehrt mit der Bevölkerung unseres Landes die Werte Anthopias in Augenschein nehmen. Damit wieder das Gute in uns die Oberhand bekommt. Denn klar ist, dass das Schlechte nur entstehen kann, wenn man unzufrieden ist und Eifersucht, Neid und Hass kennt. Und dies möchten wir in Anthopia nicht besitzen.« Damit endete Wurdri mit einem klaren Blick auf alle.

Beno nickte und verabschiedete sich wieder. Als sie wieder allein waren, wurde es ganz still und niemand sprach ein Wort.

Das bange Warten

Zwei Tage waren vergangen und noch immer hatten sie nichts von Mervin gehört. Sie wurden immer unruhiger. In der Zwischenzeit trafen sie sich mit den Dorfbewohnern von Wanda, dem Dorf, bei dem so viele Bewohner verzaubert worden waren. Doch auch sie konnten nichts anderes von denen erfahren, als dass sie nichts über die Zeit wussten, während der sie weg waren.

Als nun der dritte Morgen anbrach und sie nach unten gingen, stand wie aus dem Nichts Mervin vor ihnen. Er sah fürchterlich aus. Seine Haut war aschfahl, sein Umhang hing schmutzig und zerrissen an ihm herab. Seinen Hut und der Zwicker auf seiner Nase fehlten.

Aber er war wieder da. Alle umarmten ihn, obwohl er schrecklich stank.

»Ich glaube, dass du ganz dringend zuerst einmal eine warme Dusche und frische Kleider brauchst!«, beurteilte Theo die Situation.

Mervin nickte dankbar und liess sich von Artschip in eines der Badezimmer bringen. Die anderen waren ganz aufgeregt, was er ihnen berichten würde. Aber am meisten freuten sie sich darüber, dass er wieder hier war.

Kurz darauf kamen auch die Herrscher, die sich wie immer zum Frühstück einfanden, und waren überglücklich zu hören, dass Mervin wieder da war. Alle setzten sich an den wie immer reichlich gedeckten Frühstückstisch.

Doch niemand fing an zu essen. Alle warteten auf Mervin. Als dieser dann endlich kam, war er fast wieder der alte. Ein neuer Umhang, ein neuer Hut und die Haare und der Bart sahen auch wieder gepflegt aus. Nur der Zwicker auf seiner Nase fehlte immer noch. Alle standen auf, umarmten ihn überschwänglich und setzten sich dann gemeinsam hin. Zuerst wurde ausgiebig gefrühstückt, denn es war ihnen klar, dass Mervin, so wie er aussah, schon lange nichts mehr Richtiges zu sich genommen hatte.

Als sie fertig waren, stand Mervin auf und ging nach draussen an den Tisch unter den grossen Baum. Die anderen folgten ihm schweigend.

Als die kalten Getränke bereitstanden und sie unter sich waren, fing Mervin an zu erzählen: »Danke, dass ihr so lange gewartet habt und mich zuerst duschen und essen habt lassen. Ich werde euch nun ganz genau berichten, was geschah, als ich alleine war.« Er nahm einen Schluck der Zitronenlimonade und sprach dann ruhig weiter: »Ich wusste ja, dass ich dieses Mal alles richtig machen musste. Toranius würde ja sonst wieder entkommen. Aber er sollte keine Gelegenheit mehr bekommen! Bei dieser Zauberei ist es nun so, dass, wenn jemand auf diese Weise verschwindet, er im Niemandsland ist. Doch dort ist oft noch anderes schlechtes Gesindel, wie ich es euch ja schon angedeutet hatte. Dabei könnten die Dinge ausser Kontrolle geraten. Wie zum Beispiel wenn jemand die Idee hat, eine neue Formel oder einen neuen Zauber zu erfinden, um wieder retour kommen zu können. Ich konnte mich nicht nochmals auf ein Vielleicht verlassen!«

Dabei sah er zu Boden und als er wieder aufblickte, hatte er Tränen in den Augen, die er wegwischte, bevor er weitererzählte: »Also musste es dieses Mal für immer sein. Ich wartete, bis euer Drache, den ich übrigens Fortimus nenne, da er einfach mutig, edel, treu und noch vieles mehr ist, von eurer Reise retour kam. Ich hoffe, dass der Name für euch o.k. ist?« Bei dieser Frage sah er alle der Reihe nach an und sein Blick blieb an Nina haften. Diese hatte nun auch Tränen der Rührung in den Augen und konnte nur ein glückliches »Ja« hauchen.

Mervin fuhr fort: »Als nun Fortimus wieder zurückgekehrt war, sass ich ganz lange mit ihm auf dem Felsvorsprung. Dabei erzählte ich ihm, was ich befürchtete und welchen Plan ich verfolgen wollte. Als ich geendet hatte, legte er mir seinen Kopf auf die Schultern, als wollte er mir damit sagen, dass er mir helfen würde. Ich war sehr gerührt und merkte, dass dieser Drache die Fähigkeit besitzt, die Sprache der Menschen zu verstehen.«

Nun machte er wieder eine kurze Pause und trank etwas. Dann wandte er sich wieder seiner Geschichte zu: »Ich nahm also all meinen Mut zusammen und liess Toranius durch einen Zauber nochmals aus einem neuen Spiegel herauskommen. Da dies sehr gefährlich war, hatte ich verschiedene Vorsichtsmassnahmen getroffen, damit er nicht entwischen konnte. Also habe ich ihn wieder hergeholt. Wie ich vermutet hatte, war er sehr, sehr hasserfüllt und böse. Doch da er im Zauber der Unbeweglichkeit verharrte, konnte er nur mit lautem Schreien seiner Wut Ausdruck verleihen. Ich habe ihn in Ruhe gefragt, ob er sich denn nicht entscheiden könne, sich dem Guten zuzuwenden. Sein hämisches Lachen werde ich wohl nie mehr vergessen. Er schrie mich an, ob ich eigentlich zu blöd wäre zu kapieren, wer er sei! Ich könne ihn, so viel ich wolle, ins Niemandsland verbannen. Er würde immer wieder einen Weg finden, um zurückzukommen. Ich solle mich in Acht nehmen, wenn er dann wieder da wäre. Er werde alles zerstören, nichts mehr stehen lassen und alles ganz neu aufbauen. Niemanden von uns könne er gebrauchen. Wir wären alle zu dumm, zu lieb, zu friedfertig, einfach für ihn nur überfüssig und schädlich und bestenfalls als Sklaven zu gebrauchen. – Als ich ihn so über uns reden hörte, habe ich fast den Verstand verloren. Toranius wusste ja nicht, dass ich herausgefunden hatte, dass er ein Mensch von der Erde war und somit verwundbar. Ich sagte ihm noch einmal, er solle doch in sich gehen und sehen, dass das Böse keine Zukunft habe. Doch er wurde noch wütender und schrie mit grauenhafter Stimme, dass ich ihn in Ruhe lassen und wieder zurück ins Niemandsland zaubern solle. Er könne meinen Anblick nicht mehr ertragen. Er hasse mich so sehr, dass ihm der Mageninhalt hochkomme, wenn er mich länger ertragen müsse. Nun hatte ich wirklich genug gehört und konnte und wollte dieses nun einfach beenden.«

Wieder unterbrach Mervin seine Erzählung, da er so stark zitterte, dass er wiederum etwas trinken musste, um sich zu beruhigen. Dann berichtete er stockend weiter: »Also – wie ich schon sagte, ich hatte jetzt einfach genug. Ich hatte mit Fortimus besprochen, was zu tun wäre: Ich würde den Schwarzmagier komplett von den Zauberformeln, die ich wie eine Fessel um ihn herum angelegt hatte, lösen und im gleichen Moment müsse Fortimus ihn mit seinen Pranken erschlagen. Wenn er tot wäre, müsste er ihn sofort mit seinem Drachenfeuer verbrennen. – Eine andere Möglichkeit gab es nicht, ausser ihn zu Asche werden zu lassen, denn nur dieses Element beraubt einen Magier der Möglichkeit, sich immer wieder zu entzaubern. – Doch das Ganze musste ohne Zauberei geschehen, da er ja ein Mensch von der Erde war! Nur deswegen konnte dieser Plan funktionieren und dies auch wirklich für immer. Also fügte ich bei meinem Wiederkehr-Zauber den ursprünglichen Spiegel wieder zusammen, die ganzen Geisterwesen, der Schatz und der Weg erschienen wieder und ich entzauberte jede dieser Illusionen. Ausser Toranius blieb nichts mehr. Dieser aber stürzte sich nun auf mich, riss mich zu Boden und wollte mich erwürgen. Wir kämpften miteinander, wir schenkten uns nichts, wir tropften vor Dreck und Blut und zerrissen uns gegenseitig die Kleider. Er wütete unentwegt: »Bastard! Dreimal verfluchter Bastard!« – Nach einiger Zeit gelang mir ein mächtiger Schlag, was mir ein wenig Luft verschaffte. Dennoch war ich wie ohnmächtig, ich fühlte, wie mich etwas wegtrug. – Als ich wieder zur Besinnung kam, sah ich ein riesiges Feuer, das langsam ausbrannte und schließlich nur noch grün und violett vor sich hin glomm. Als ich später danach sah, war Toranius nur noch Asche. Fortimus hatte ganze Arbeit geleistet. Mir blieb nur noch übrig, die Asche zusammenzukehren und in ein Gefäss zu schütten. Dann half mir Fortimus mit seinen mächtigen Klauen, die er wie eine Schaufel einsetzte, ein tiefes Loch zu graben, das Gefäss hineinzulegen und alles wieder gut zuzuschütten. Fertig.

Wir waren beide so erschöpft, dass wir kurzerhand einschliefen und erst am nächsten Tag wieder erwachten. Fortimus brachte mir Beeren zum Essen. Danach trug er mich in seine Höhle, damit ich von den Bächlein, die den Felswänden entlang hinuntersprudeln, Wasser trinken konnte. Später legte er mich auf seinen Rücken und flog mich hierher zurück. – So, das ist die ganze Geschichte. Ohne diesen wundervollen und klugen Drachen würden wir wohl nie Ruhe vor Toranius haben. Er hat uns unser normales Leben wiedergegeben!«

Als Mervin mit seiner Erzählung geendet hatte, war es mäuschenstill. Niemand sprach ein Wort. Alle machten ganz betroffene Gesichter. Nach einiger Zeit wollte Serdri wissen: »Wie konntest du dich alleine einer solchen Gefahr aussetzen, Mervin? Warum hast du nicht mit uns gesprochen und uns eingeweiht, sodass wir dir hätten beistehen und vielleicht sogar helfen können? Wieso?« Mit energischem Kopfschütteln sah er Mervin an. Dieser hielt seinem Blick stand und antwortete: »Ich verstehe, wenn meine Beweggründe niemand von euch verstehen kann. Doch habe ich beim ersten Mal einen Fehler gemacht und somit riskiert, dass jemand hätte Schaden nehmen können, da ich damals zu unerfahren war zu begreifen, dass Toranius schon lange nicht mehr mein Freund war, sondern ein böser, erbitterter Feind. Als ich dies herausfand, musste ich alleine – mit der Hilfe von Fortimus, dem wunderbarsten Drachen Anthopias, dieses zu Ende bringen. Und das habe ich getan. Toranius ist nun, wie die Menschen auf der Erde sagen, tot. Und niemals wieder wird er uns schaden können.«

Da es sinnlos wäre, ihm zu erklären, dass dies auch hätte schiefgehen können und sie dann noch mehr in Gefahr gewesen wären, sagte Theo nur: »Danke, Mervin, für deine selbstlose Tat. Fortimus werden wir, noch bevor wir wieder auf die Erde zurückkehren, besuchen und ihm persönlich unseren Dank aussprechen.«

Auch die anderen bedankten sich bei Mervin. Dieser aber war von so viel Ehrerbietung ganz verlegen und meinte: »Ich bitte euch, wir sind doch euch zu Dank verpflichtet, dass ihr uns schon wieder so selbstlos geholfen habt. Ich danke euch im Namen von ganz Anthopia.«

Die Freunde winkten ab und Nina meinte so nebenbei: »Wir kommen immer, wenn ihr Hilfe braucht!«

Nun wurde Mervins Rückkehr gefeiert: ein fürstliches Abendessen, fröhliche Gesänge und viel Gelächter und Erzählen füllten den Abend.

Die Reise

Schon in aller Früh des nächsten Tages waren die fünf Freunde auf ihren Reitvögel unterwegs. Da sie eine längere Reise vor sich hatten, wurden vorher die Diener gebeten, ihnen genügend Proviant mitzugeben. Beno hatte ihnen alles Notwendige auf einen der zusätzlichen Vögel geladen.

Nun also waren sie in der Luft. Die erste Landung machten sie erst am Abend. Da die Tiere ziemlich müde waren, machten sie alles bereit, um hier zu übernachten. Das Feuer brannte, das Wasser mit Gemüse und Fleisch köchelte vor sich hin, als sich Nina zu José ans Feuer setzte: »Ich freue mich so sehr, unseren Drachen nach alledem wiederzusehen. Ich hatte immer das Gefühl, dass er alles, was wir sagten, verstehen würde. Aber sicher war ich mir natürlich nicht.«

José sah sie an und erwiderte, indem er ihr seinen Arm um ihre Schultern legte: »Ja, Nina, ich glaube, du hast recht. Dieser Drache ist ganz aussergewöhnlich und ich hatte auch das

Gefühl, dass er versteht, was wir ihm sagen. Mervin ist ebenfalls dieser Ansicht, so wie er von ihm geschwärmt hat. Es ist schon eigenartig, in was für einer Welt wir hier sind. Reitvögel, Drachen, Magie und vieles mehr. Wenn wir dies bei uns auf der Erde jemandem erzählen würden, kämen wir wohl ins Irrenhaus.« Dabei lächelte er Nina an.

Diese meinte ganz erschrocken: »José, was redest du denn da, wir haben versprochen, es nie jemandem zu erzählen!«

Jetzt musste José wirklich laut herauslachen, drückte sie fest an sich und glucksend sagte er: »Nina, das war doch von mir nur so eine Bemerkung. Weil hier alles so irreal ist. Natürlich wird nie jemand von hier erfahren. Ich meinte ja nur, wenn.« Ernst meinte er dann: »Aber mal ehrlich, Nina, ich wäre sehr traurig, wenn ich nie mehr hierher zurückkommen könnte, da wir hier alle so tolle Freunde, echte Freunde, gefunden haben. Dies alles hat uns zu einer grossen Familie zusammengeschnürt. Meinst du nicht auch?« Fragend sah er sie an.

Sie nickte und erwiderte: »Ja, dieser Meinung bin ich auch. Wir können uns glücklich schätzen, so viele liebenswerte und ehrliche

Anthopier kennen zu dürfen. Und wir fünf haben nun auch eine einzigartige Verbindung zueinander bekommen. Ich hatte schon immer ein super Verhältnis mit Theo, Oli und Jasmin. Und als du nun neu dazu kamst, war es toll. Aber jetzt ist es so, als würden wir einander alles sagen können und alles miteinander erleben, einfach eins sein können.«

»Genau das meinte ich. Du bist halt schon die Intelligentere von uns, wenn es darum geht, sich auszudrücken!«

Stolz sah Nina ihn an und genoss es sehr, so ein Kompliment aus Josés Mund zu hören.

Am nächsten Morgen waren sie schon vor dem Sonnenaufgang unterwegs. Sie wollten versuchen, da sie keine weitere grosse Pause eingeplant hatten, bis am Abend beim Felsen zu sein. Die Reise war ruhig, doch wegen der Hitze mussten sie doch des Öfteren kurze Pausen einlegen, damit sie und die Tiere trinken konnten. Als es dann Abend wurde, waren sie immer noch nicht da. Doch sie wussten, dass es womöglich machbar wäre, bis die Sonne ganz unterging, dort zu sein. Also gaben die Vögel alles.

Als sie den Felsen mit der Höhle dann endlich sahen, war die Sonne fast untergegangen und es war schon recht dunkel. Bei der Landung waren alle sehr froh, es endlich geschafft zu haben.

Die Tiere wurden sogleich gefüttert. Dann ging Nina in die Höhle hinein und rief nach Fortimus. Doch nichts regte sich. Die anderen, die nachgekommen waren, gingen langsam in die Höhle hinein, um bei der Suche zu helfen. Aber der Feuerspeier war nicht da.

»Schlafen Drachen manchmal auch woanders?«

»Das weiss ich nicht, Nina«, antwortete ihr Jasmin. »Komisch ist es aber schon, dass er nicht hier ist … Doch es ist jetzt halt so. Warten wir, bis er zurückkommt.«

»Hoffentlich ist ihm nichts passiert?«

»Nein, Nina, das glaube ich nicht. Er ist ein Drache.«

Etwas beruhigt sah sich Nina um. »Wo ist eigentlich Toranius vergraben?«

»Keine Ahnung,« erwiderte Theo, „aber wohl irgendwo hier in der Nähe. – Da wir aber nun bei Dunkelheit sowieso nichts sehen, bereiten wir uns lieber unser Schlaflager zu. Alle einverstanden?«

»Ja klar«, kam es von allen zurück.

Nun wurde Holz für ein Feuer zusammengesucht. Als es brannte, setzten sie Wasser mit Gemüse und noch etwas Fleisch auf und sahen nach den Tieren. Diese hatten draussen eine gute Möglichkeit zum Schlafen gefunden. Als sie alle so am Höhleneingang standen, meinte José: »Dort«, dabei zeigte er mit der Hand nach links, »war der magische Weg. Man kann sich dies in dieser Wildnis hier überhaupt nicht vorstellen.«

»Genau das Gleiche habe ich jetzt auch gerade gedacht. Aber hier in Anthopia ist einfach alles möglich und nichts unmöglich« erwiderte Nina.

»Wir müssen zurück in die Höhle, um nachzuschauen, was unser Essen macht!«, erinnerte Jasmin und alle gingen zurück zum Feuer.

Dann wurde gegessen, getrunken, weggeräumt und geschlafen.

Mitten in der Nacht erwachte Nina und vernahm ein Geräusch, das ihr vertraut vorkam. Sie schlug die Augen auf und blickte über ihr direkt in Fortimus' Augen. Er stakste langsam, damit er niemanden verletzte, über die schlafenden Jugendlichen zu seinem Lieblingsplatz. Nina empfand eine solch riesige Freude, ihn gesund wiederzusehen, dass sie von ihrer Schlafstelle aufstand und zu ihm nach hinten ging, sich an ihn schmiegte und sofort wieder einschlief.

Am anderen Tag sahen auch die Freunde, dass der Drache zurückgekommen war, und mussten schmunzeln, als sie Nina an ihn gekuschelt schlafen sahen. Ganz leise machten sie von der noch vorhandenen Glut Feuer und setzten Wasser auf. Dann gingen sie nach draussen, die Tiere füttern. Als sie in die Höhle zurückkehrten, war das ungleiche Pärchen wach. Es gab eine innige Begrüssung, als wäre der Drache schon immer einer von ihnen. Dann gaben sie auch ihm zu fressen, setzten sich hin und assen ihr Frühstück.

Als alle fertig waren, gingen sie mit Fortimus nach draussen. Auch die Vögel reagierten ganz gelassen auf den Drachen, als ob er schon immer dabei gewesen wäre. Nina sah zu Fortimus auf: »Mervin, der Zauberer, hat uns alles erzählt. Auch dass er dir den Namen Fortimus gegeben hat. Bist du damit einverstanden, mein Kleiner?«

Dabei sahen die anderen ihnen zu und mussten lachen, da Nina ihn immer noch »Kleiner« nannte. Der Drache sah Nina an und legte seinen Kopf an ihre Schulter, was wohl so viel bedeutete wie: Ja das ist o.k. für mich. Also war dies auch geklärt.

»Mein lieber Fortimus, kannst du uns zu Toranius' Grab führen?«, bat Nina.

Bei dem Namen Toranius zuckte der Drache etwas zusammen, doch dann schritt er langsam, sodass ihm alle folgen konnten, voraus. Etwas weiter vorne dann bog er links zu einem ganz hohen und dicken Baum ab, neben dem gerade frische Erde aufgeschüttet worden war, und zeigte mit seinem Kopf darauf. Hier also war Toranius' letzte Ruhestätte. Der riesige Baum spendete immer Schatten und alles sah sehr mystisch aus.

Die fünf nahmen sich an den Händen. Die letzte in der Reihe, Nina, legte ihre Hand auf den Drachen. So standen sie ganz lange da und jeder war mit seinen eigenen Gedanken beschäftigt.

Nach einiger Zeit schritten sie wieder zum Felsen zurück. Die Sonne stand jetzt schon ganz oben, also war es bereits Mittag und schon sehr heiss. Zum Glück standen auch beim Felsvorsprung hohe, breite Bäume, unter denen es sehr viel Schatten gab. Sie setzten sich zu den Tieren. Der Besuch beim Grab von Toranius hatte alle sehr aufgewühlt.

»Wisst ihr eigentlich, wie viel Glück wir hatten? Nur ein Fehler, dann wären wir wohl alle nicht mehr hier. Was wir hier auf Anthopia schon alles erlebten, ist in einem Leben gar nicht richtig fassbar und doch ist alles so wirklich. Wie wir hier alle mit Reitvögel und einem Feuerspeier zusammensitzen, als wäre es das Normalste der Welt. Ich für meinen Teil möchte trotz der vielen Gefahren, die wir erleben mussten, keine einzige Sekunde missen. Als ich das erste Mal hierher kam, war ich so ängstlich und habe mir fast nichts zugetraut. In der Zwischenzeit weiss ich aber, dass ich alles kann, wenn ich es nur will, sogar meine Flugangst überwinden.« Dabei lachte Jasmin und die anderen stimmten gerne ein.

»Mir geht es genauso. Ich traue mir viel mehr zu als zuvor und kann jetzt auch schnell

Entscheidungen treffen, bei denen ich vorher oft lange dafür gebraucht habe.«

»Ich kann mich nur Theos Worten anschliessen. Bei mir liegt es ähnlich. Ich konnte in der letzten Zeit meinen Pa so viel unterstützen, da es ihm schwerfiel, nach so langer Zeit wieder zu arbeiten. Er war abends immer unglaublich müde und zweifelte sehr an seinem Können. Doch mit den Erfahrungen, die ich hier sammelte, konnte ich ihn immer wieder aufbauen, sodass er in der letzten Zeit oft positiv eingestellt nach Hause kam.« meinte Oli.

Auch José wollte daraufhin etwas sagen: »Ja`, bei mir ist jetzt auch endlich der Groschen gefallen. Als ich beim ersten Mal wieder zurück zu meinem Pa kam, war ich mir sicher, dass ich nun die Ausbildung zum Pferdepfleger und Züchter anfangen werde. Als ich ihm dies erzählte, war er ganz aus dem Häuschen vor Freude. Nun, seit diesem Mal hier in Anthopia, bin ich mir sogar sicher, dass ich das Geld, was ich vor einem Jahr von meinem Grosspapa geerbt habe, meinem Pa gebe, damit ich mit ihm zusammen die Pferdefarm gross aufziehen kann. Auch hatte ich das Gefühl«, dabei sah er

Nina an, »dass sich Julia und mein Vater nähergekommen sind und dass sich mein Pa verliebt hat. Es wäre natürlich absolut der Hammer, wenn die zwei zusammenkämen und miteinander den Pferdehof aufbauen könnten. Ich bin sehr froh, dass mein Vater das Geschehene mit meiner Mutter nun endgültig überwunden hat und sich wieder verlieben kann.«

Beim letzten Satz reagierte Nina überrascht: »Was schaust du jetzt so komisch? An mir soll es nicht liegen. Wenn ich ehrlich bin, finde ich das sogar total cool. Ich habe mir in der Zwischenzeit auch schon oft Gedanken gemacht, ob ich wohl Pferdepflegerin lernen will anstelle der Krankenschwester. Pferde waren und sind meine ganz grosse Leidenschaft und wenn ich mir vorstelle, mein grösstes Hobby zu meinem Beruf zu machen, erfüllt mich dies mit einem so intensiven Gefühl, dass mir dabei fast schwindelig wird. Auch meine Tante wäre darüber überglücklich. Aber wie ich dies meiner Ma beibringen will, die so gar nichts mit Pferden anfangen kann, wusste ich nicht wirklich, bis wir nun ein zweites Mal nach Anthopia gekommen sind.

Doch nun bin ich mir über meine berufliche Laufbahn so klar, dass ich sicher bin, dass sie es verstehen wird. Irgendwie …«

Theo fragte: »Also hat uns Anthopia nicht nur mutiger, sondern auch freier gemacht?«

Nina antwortete klar: »Ja, es hat wirklich nur Positives gebracht. Auch die vielen lieben Anthopier, die wir kennenlernen durften«, dabei gab der Drache ein leises, aber dennoch aufforderndes Fauchen von sich, »oh, entschuldige, Fortimus, natürlich auch die lieben Tiere, die wir kennenlernen durften, würde ich für nichts auf der Welt mehr missen wollen.«

Alle lächelten und nickten zustimmend.

»Aber auch unsere Freundschaften untereinander haben sich dadurch stark intensiviert. Wir sind wie zu einer Familie geworden, ohne dass wir viel miteinander reden brauchten, verstehen und verstanden wir einander.«

Nickend meinte José: »Ja, Oli, besser hätte ich es auch nicht ausdrücken können. Wir sind wirklich fest zusammengewachsen und jeder kann sich auf den anderen verlassen.«

Dabei standen sie auf und umarmten einander. Plötzlich stupste Fortimus alle und wollte auch geknuddelt werden, was natürlich sofort gemacht wurde!

Nun gingen sie in die Höhle, kamen mit Vorräten zurück und gaben den Tieren, auch Fortimus, zu fressen und zu trinken. Daraufhin holten sie für sich etwas aus dem Topf, den sie zuvor aufs Feuer gestellt hatten, und gingen mit ihren Schüsseln wieder hinaus. Dort setzten sie sich wieder unter die Bäume, um zu essen. Als alle satt waren, wurde Mittagsruhe gehalten.

Etwa eine Stunde später spazierten sie mit Fortimus durch die Gegend. Am Abend dann gingen sie alle früh schlafen. Sie hatten ausgemacht, dass sie früh morgens wieder zurückfliegen würden, um dann wieder in ihre Welt zurückzukehren. Es war ja jetzt alles wieder in Ordnung und so konnten sie ruhigen Gewissens wieder heim.

Am nächsten Tag, noch ganz früh, verabschiedeten sie sich von Fortimus mit dem Versprechen, irgendwann wiederzukommen. Ninas Herz tat unglaublich weh, als sie auf ihrem Vogel in die Lüfte schwebte und unter ihnen der Drache immer kleiner und kleiner wurde, bis sie ihn nicht mehr sahen. Die Tränen liefen ihr noch lange über ihre Wangen, aber sie wusste, dass es Fortimus gut ging. Sie hatte sogar seine Freundin heute Morgen von Weitem gesehen, den anderen davon aber noch nichts gesagt. Wer weiss, vielleicht würden sie, wenn sie das nächste Mal kamen, schon ein Drachenbaby kennenlernen dürfen? Mit diesen schönen Gedanken flog sie mit den anderen zurück zur Villa.

Auf dem Weg konnten sie am nächsten Abend von einem Felsen aus, auf dem sie gelandet waren, einen wunderschönen Sonnenuntergang beobachten. Dieser tauchte die Umgebung in so wunderschöne goldene und rote Farbtöne, dass es fast kitschig wirkte. Einfach wunder-, wunderschön.

Als sie zwei Tage später wieder in die Villa zurückkehrten, wollten natürlich alle wissen, wie es war und ob alles gut gegangen wäre. Sie sassen alle zusammen unter dem riesigen Baum im Garten und Theo erzählte, wie sie das Grab von Toranius besucht hatten, wie Fortimus sich gefreut, hatte sie zu sehen, und von ihren Spaziergängen in der Gegend.

Als er geendet hatte, sah Mervin ihn an und fragte: »Wie war euer Gefühl beim Grab von Toranius?«

Bevor Theo antworten konnte, sagte Jasmin: »Ich für meinen Teil war und bin traurig, dass es keinen anderen Ausweg gab, doch bin ich jetzt auch sehr froh, dass er uns kein Leid mehr antun kann.«

Die anderen bestätigten diese Meinung. In diesem Moment brachten die Diener das Nachtessen nach draussen.

»Morgen werden wir wieder in unsere Welt gehen und dann eine gewisse Zeit nicht mehr kommen können, da wir Schule haben.«

»Ja, Oli, auch wenn wir froh darüber sind, dass sich das mit Toranius erledigt hat, und wir nun wieder aufatmen können, sind wir doch sehr traurig, dass ihr uns wieder verlassen müsst. Doch sehen wir natürlich ein, dass es so ist. Wir möchten aber gerne noch ein Abschiedsfest zu euren Ehren geben. Am liebsten in Vella, damit auch die Menschen dort euch verabschieden dürfen. Wäre es für euch in Ordnung, wenn ihr dann erst übermorgen zurückgeht? So könnten wir morgen das Fest feiern!«

Die Freunde waren gerade etwas sprachlos. Sie nahmen das Angebot aber dankbar und mit grosser Freude an.

Abschiedsfeier

Grosse Hektik entstand schon am frühen Morgen des nächsten Tages. Das Frühstück wurde unterbrochen durch das Erscheinen der Lehrer Lagist, Nalto, Mofi, Lajoni und Zajo, die mit Beno gekommen waren, um sie zum Fest abzuholen. Also stiegen sie auf ihre Pferde, die schon bereit standen, und ritten zu ihren Vögeln. Mit diesen flogen sie dann alle gemeinsam nach Vella.

Dort angekommen wurden sie mit Musik und viel Freude empfangen. Jetzt lernten sie auch Kuno kennen, der von Toranius durch einen Zauber gefangen gehalten worden war. Er war zuerst sehr schüchtern, doch nach einer Weile taute er auf und lachte und alberte mit ihnen herum. Auch Simon mit Frau und seinem Kind waren gekommen. Als er sie begrüsste, umarmte er sie und flüsterte dabei jedem ins Ohr: »Danke für alles!« Tränen standen ihm in den Augen und voller Dankbarkeit über sein neues, wundervolles Leben schenkte er jedem der Freunde eine selbstgemachte Kette mit einem Stein, darauf war ein Drache eingemeisselt und auf der Rückseite stand der Name Fortimus! Die Freunde waren darüber so gerührt, dass auch ihnen nun die Tränen herunterkullerten und sich alle in den Armen lagen.

Nun aber begannen die Feierlichkeiten mit einer Rede Wurdris, der allen dankte, die geholfen hatten, Toranius zu besiegen. Dabei wurde hinter ihm ein riesiges Bild von Fortimus enthüllt.

»Dieses wunderschöne Gemälde, liebe Vellaner, wird das neue Wappen unseres Dorfes«, erläuterte Bürgermeister Kuno. »Es wird uns jeden Tag an einen fantastischen Drachen erinnern, der es geschafft hat, dass Böseste, das wir bis zum heutigen Tage kennenlernen mussten, zu besiegen. Er hat damit unser Leben und unseren Fortbestand gesichert. Hoch lebe Fortimus, der grosse Held!« Alle applaudierten und jubelten und wünschten, Fortimus wäre hier und könnte das Bild bewundern.

Auch die Bewohner des Dorfes Wanda waren gekommen und feierten den Sieg über Toranius. Sie schüttelten den Freunden ebenfalls die Hände und bedankten sich für alles. Einer von ihnen meinte: »Ihr müsst wissen, dass dieser Drache so ist, weil ihr ihn damals, als er noch ganz klein war, vor dem Tode gerettet habt. Er würde alles für euch und eure Freunde tun.« Dabei klatschten alle in die Hände.

Von so viel Lob wurden die Freunde ganz verlegen und José meinte: »Jeder von euch hätte das gemacht.«

Dies wurde mit einem allgemeinen Nein beantwortet: »Ich hätte mich gar nicht in die Höhle getraut!« Ein anderer: »Niemals wäre ich einem Drachen so nahe gekommen.« Wieder jemand anderes: »Ich hätte Angst gehabt, dass seine Eltern auftauchten.« Alle redeten durcheinander, bis Theo in die Runde rief: »Wir glauben es euch ja und nehmen euer Kompliment dankend an. Doch nun wird gefeiert. Morgen sind wir wieder weg.«

Damit wurde getanzt, gesungen, gegessen, getrunken und einfach miteinander geredet und erzählt. Als es schon weit über Mitternacht war, hatten sich alle bis auf die Herrscher, die Lehrer, den Kutschenfahrer und Mervin von den Freunden verabschiedet.

Sie räumten noch alles auf. Danach gingen auch sie in das extra für sie bereitgemachte Haus zum Schlafen.

Am nächsten Tag – das ganze Dorf schlief noch – flogen sie mit ihren Reitvögel direkt zur Villa zurück. Dort angekommen, zogen sich die Freunde in ihren Zimmern ihre Badesachen an und legten die Kleidung schön gefaltet aufs Bett. Theo musste dabei an seine Mama denken, die staunen würde, wie er alles sorgfältig zusammenlegte. Bei diesem Gedanken musste er schmunzeln.

Daraufhin gingen sie nach unten, wo die anderen auf sie warteten. Den Dienern sagten sie hier Adieu. Draussen bei den Pferden stiegen sie auf und ritten zusammen durch den schönen Wald dem endlosen Sandstrand entlang bis zum Felsen. Dort liessen sich alle von den Pferden gleiten, machten einen Kreis, bei dem sich alle an den Händen hielten, und Wurdri sagte feierlich: »Unsere liebgewonnenen Freunde. Es ist wieder soweit, Abschied zu nehmen. Ich spreche im Namen von allen hier auf Anthopia. Wenn ich sage, dass wir sehr traurig darüber sind, dass ihr uns nun schon wieder verlassen müsst, wissen wir doch, dass es so sein muss. Ihr seid jederzeit herzlich willkommen. In der Zwischenzeit wissen wir ja auch, dass ihr zur Schule müsst und erst in einem Jahr, das heisst bei uns in vielen Jahren, wieder zu uns kommen könnt. Wenn bei uns unerwartet etwas passieren würde und wir wiederum eure Hilfe bräuchten, lassen wir euch durch Mervin rufen. Wir hoffen natürlich, dass ihr dem auch Folge leisten könnt, aber verstehen auch, wenn es nicht geht. Dann müssten wir halt alleine klarkommen. Nun aber wünschen wir euch eine gute Zeit in eurer Welt, der Erde, und bitten euch, vergesst uns nicht.«

Bei diesen Worten hatten alle Tränen in den Augen. José antwortete gerührt: »Ich spreche für uns alle: Wir vergessen euch nie. Auch wir werden jeden Tag an euch denken. Wenn es uns möglich ist, werden wir bei eurem Rufen kommen, um Hilfe zu leisten. Ihr seid für uns wie eine zweite Familie geworden. Wir lieben euch und freuen uns sehr, wenn wir uns wiedersehen.«

Nach diesen Worten umarmten, küssten und herzten sie sich. Dann liefen viele Tränen, bis die Freunde sich langsam winkend entfernten und ins Wasser abtauchten.

Rückkehr

Als sie hinter dem Felsen wieder auftauchten, war alles wie beim letzten Mal. Nur dass sie dieses Mal wussten, dass die Zeit stehen geblieben war. Sie setzten sich ans Feuer, das sie neu entfachten, um zu bräteln. Irgendwie waren sie alle viel melancholischer als beim letzten Mal. War das wegen des Drachens? Oder weil sie so viele neue Leute kennengelernt hatten? Oder weil …? Sie wussten es selber nicht, doch als sie gegessen hatten und auf ihren Badetüchern chillten, wurden sie langsam wieder sie selber.

Die Gewissheit, dass es nur noch vier Tage ging, bis Nina sie verlassen müsste, machte sie noch trauriger. Doch hofften sie, dass ihre Mama mit der neuen Berufswahl einverstanden sein würde und sie nächstes Jahr wiederkommen könnte. So würde sie dann die neunte Klasse bei ihnen verbringen.

Es wurde trotz allem ein schöner, friedlicher und chilliger Nachmittag. Als Joe mit seinem

Rover kam, waren sie wieder ganz die Alten. Im Auto wurde weiter diskutiert und dabei gefragt, was sie die letzten Tage noch unternehmen wollten. So kamen sie auf die Idee, zusammen in die Stadt zu fahren, um alle ein gleiches
T-Shirt kaufen zu gehen.

»Nicht dass ich mich einmischen will, aber morgen wäre der perfekte Tag dazu«, sagte da gerade Joe, »in der Wettervorhersage wurden Bewölkung und vielleicht etwas Regen vorausgesagt und so hättet ihr es nicht zu heiss zum Shoppen.«

»Danke für deinen Tipp, Joe. Das ist eine sehr gute Idee. Seid ihr dabei?« fragend sah Nina die anderen an.

Alle nickten erfreut. Nun wurde noch die Zeit ausgemacht. Als sie schon am Haus von Theo und Jasmin anhielten, stieg wie beim letzten Mal auch Oli mit aus.

»Schlaft gut und bis morgen dann!«, rief ihnen Nina vom Auto aus zu und weg waren sie.

Auf einmal juckte es Nina am Hals und da sie dachte, es wäre eine Mücke, fasste sie hin und berührte dabei die Kette, die sie von Simon geschenkt bekommen hatte. »José«, sagte sie leise, »wir tragen alle die Ketten noch. Wie wollen wir erklären, wenn wir heute nur am Fluss waren, woher wir diese haben? Ich denke, wir müssen sie ausziehen und morgen beim Shoppen wieder anziehen. Dann würde es so aussehen, als hätten wir sie gekauft.«

José nickte, zog seine Kette rasch ab und liess sie in der Hosentasche gleiten. Das Gleiche machte Nina.

»Wir müssen die anderen durch eine SMS informieren. Schreibst du an Jasmin und ich schreibe an Oli und Theo?«

»Das ist gut.« Nina war schon am SMS-Schreiben. Auch José schrieb. Kurz darauf piepsten beide Natels. Also war wieder alles gut.

Zu Hause angekommen, halfen sie noch kurz Joe mit den Pferden und dann verabschiedete sich Nina von José.

»Gute Nacht, José.«

»Gute Nacht, Nina, schlaf schön!«

»Gute Nacht, Joe, und danke dir fürs Fahren!« Und schon war Nina im Haus verschwunden.

Am nächsten Tag waren sie zusammen in der Stadt. Genau wie Joe vorausgesagt hatte, war es angenehm und nicht so heiss wie die letzten Wochen. Also ideales Wetter zum Shopping. Sie sassen alle in einem Café zusammen und tranken etwas.

Jasmin fragte: »Bei welcher Boutique wollen wir zuerst vorbei?«

Die Begeisterung der Jungs auf Kleider-Shoppen hielt sich in Grenzen.

»Natürlich in unserem Lieblingsladen da vorne um die Ecke. Dort finden wir sicher schnell etwas, sodass die Jungs den Nachmittag noch etwas nach ihren Vorstellungen gestalten können.« lachend sagte dies Nina und sah dabei umher.

»Und dies wäre?«, fragte Jasmin mit einem schelmischen Lächeln.

»Ja was wohl? Games- und Musikläden auseinandernehmen!«

Dabei sahen sie die Jungs an. Diese wiederum nickten mit einem zufriedenen Lächeln und Theo sagte: »Ihr beide seid super, danke. Shopping ist wirklich nicht so unser Ding.«

Also wurde es ein lustiger und geselliger Nachmittag. Die T-Shirts, die die Männer in Blau und die Frauen in Pink kauften, gefielen und passten auf Anhieb. Nun konnten sie auch wieder ihre Ketten anlegen. Dabei wurden sie alle kurz etwas traurig, doch dann kehrte die jugendliche Frische wieder zurück.

Als sie wieder zu Hause waren, kam das schöne Wetter zurück und so genossen sie die zwei Tage vor Ninas Abreise in vollen Zügen.

Der Abschied

Am Freitag waren alle gekommen, um sich von Nina zu verabschieden. Julia hatte leckeren Kuchen gebacken, Olivia brachte Schokoladen- und Vanille-Creme mit und Joe zwei Harassen mit Getränken. Es wurde gelacht, geredet und leckerer Kuchen und Creme gegessen. Als dann die Zeit gekommen war, Nina zum Bahnhof zu bringen, gab es auch einige Tränen. Julia, Joe und José fuhren dann Nina zum Bahnhof. Dort angekommen meinte José zu ihr: »Ich freue mich sehr, dass du auch Pferdepflegerin erlernen möchtest. Da ich noch ein Jahr anhänge, um meine schulischen Leistungen zu verbessern, könnten wir dann zusammen mit der Ausbildung beginnen? Und was mich sehr freut, ist, dass wir dies alles mit meinem Pa und deiner Tante aufziehen werden. Also unser eigener Herr sein dürfen. Ich hoffe nun sehr, dass deine Mam das auch so sieht und sich mit dir freut!«

»Ja, José, geht mir genauso. Aber dass meine Mam dies gut finden wird, bezweifle ich doch sehr. Hoffe aber, dass sie es versteht und mich unterstützt und nicht dagegen ist. Ich könnte doch sonst nicht für die neunte Klasse hierher kommen. Ich werde versuchen, es ihr so gut es geht zu erklären.«

»Deine Mam muss eine sehr intelligente Frau sein bei einer solchen Tochter und deshalb denke ich, dass sie dies verstehen wird und dir auch nicht im Wege stehen wird.« Bei dieser Aussage sah er Nina ganz tief in die Augen.

Dabei errötete sie etwas und schaute verlegen zu Boden. Zum Glück kamen nun Joe und Julia mit Ninas Gepäck und dem Billett. Der Zug rollte auf den Bahnhof und Joe brachte ihre Koffer noch zu einem freien Platz im Zug. Danach verabschiedeten sie sich voneinander mit Umarmungen und Küsschen links und rechts. Als sie José verabschiedete und er sie umarmte, ging ihr Herz etwas schneller. Damit er es nicht mitbekam, drehte sie sich schnell um und ging in ihr Abteil des Zuges. Als dieser anrollte, winkte sie so lange, bis sie sich nicht mehr sehen konnten.

Sie war happy!

Mein Dank

An meiner Trilogie Anthopia zu schreiben, bereitete mir sehr viel Freude! Es war aber auch zeitintensiv.

Deshalb möchte ich mich ganz herzlich bei meiner Familie für deren Motivation, Hilfe, Unterstützung und das mir entgegengebrachte Verständnis bedanken.

Einen ganz besonderen Dank geht an meinen Mann der nach meinen Vorstellungen die Cover gestaltet hat.

Anthopia

Die geheime Welt I
Der Herrscher des Westens

Nina, Jasmin, Theo und Oli haben sich seit längerer Zeit nicht mehr gesehen.

Oft verbrachte Nina die Sommerferien bei ihrer Tante Julia auf dem Land. Jedes Mal erlebte sie mit ihren Freunden viele tolle Dinge.

Auch in diesen Ferien möchte sie natürlich all ihre Freunde wiedersehen und findet sogar noch einen neuen Freund dazu: José, der mit seinem Vater in das Haus neben das von Tante Julia gezogen ist.

Als sich die Freunde an der besonderen Stelle – die schon, als sie klein waren, eine mystische Anziehung auf sie alle ausgeübt hatte – zum Brätln treffen und dabei zum ersten Mal durch die Röhre im Inneren des Felsens tauchen, geschieht etwas, das über jede Vorstellungskraft hinaus geht …

Anthopia

Die geheime Welt III
Der verwunschene Zauberstab

Wieder zu Hause, erfährt Nina, dass ihre Mutter mit Pit in eine andere Stadt ziehen will. Nina müsste mit. Doch da sie zwischenzeitlich den Entschluss gefasst hat, Pferdepflegerin bei ihrer Tante Julia auf dem Land zu erlernen, unterbreitet sie ihrer Mutter ihren Plan. Diese reagiert entgegen aller Befürchtungen verständnisvoll und unterstützt die Pläne ihrer Tochter, indem sie alles Notwendige in die Wege leitet. Die fünf Freunde hatten vor, Anthopia in den nächsten Sommerferien wieder zu besuchen, doch es kommt alles anders als geplant … Unerwartet steht Mervin, der Zauberer von Anthopia, vor Ninas Klassenzimmer!

Die abenteuerliche Reise des grossen Zauberers Mervin in England, die schnelle Rückkehr der Freunde nach Anthopia und das unerwartete Auftauchen eines Fremden bringt die Freunde wieder in Entscheidungsnot … Werden sie auch dieses Mal alles in den Griff bekommen und die richtigen Entscheidungen treffen?